D0832810

AFGESCHREVEN

BIJ DE GLIMLACH VAN MIJN VADER

Van Alice Walker bij In de Knipscheer

Meridian, *Roman*, 1979
De kleur paars, *Roman*, 1983
Verliefd & Verloren, *Verhalen*, 1984
Het derde leven van Grange Copeland, *Roman*, 1987
De tempel van mijn gezel, *Roman*, 1989
Turkoois en koraal. Leven onder woorden. 1990, 1996
Het geheim van de vreugde, *Roman*, 1992
De tuinen van onze moeders, een zoektocht. 1993
Een vrouw een vrouw, een woord een woord,
Verhalen, 1993

Alice Walker

Bij de glimlach van mijn vader

Vertaling: Irma van Dam

IN DEKNIPSCHEER

Bij de glimlach van mijn vader is een roman.
Alle namen, personages, voorvallen en plaatsen komen voort
uit de verbeelding van de auteur of zijn fictief gebruikt. Elke
gelijkenis met actuele gebeurtenissen, situaties of personen,
levend of dood, is geheel toevallig.

Bij de glimlach van mijn vader
Oorspronkelijke titel *By the Light of my Father's Smile*
Copyright © 1998 Alice Walker
Nederlandse vertaling Irma van Dam
Copyright Nederlandse vertaling © 1998 In de Knipscheer
Vormgeving omslag Josje Pollmann
Omslagillustratie René Barri/Magnum/ABC Press
Foto auteur Els Knipscheer
Eerste uitgave 1998
In de Knipscheer, Postbus 6107, 2001 HC Haarlem

ISBN 90 6265 454 1   NUGI 301

VOOR JOU, ZEGEVIERENDE

Voor jou, zegevierende
    die mij geleerd heeft
    perzikdons
    perennat

uilenschemer
    berenschijn.

    Dit schandalige
    gebed van
een
    boek
        dat herinnering
&
    offer is.

&
in verwantschap met

    onze
        zorgeloze
        plezier makende
        niet lezende
familie
        die kostelijke neven en nichten
        Bonobo's.

Het leven zij gedankt
voor hen.

We moeten opstaan en onze lof uiten als we spreken over wat vriendschap is en wat liefde is en wat het betekent om elkaar te beminnen – deze wederzijdse doordringing van elkanders ziel door middel van het lichaam. Het is een wonderbaar iets! Ik denk dat de engelen de mensen benijden omdat wij een lichaam hebben en zij niet; en als wij de liefde bedrijven, fladderen ze vol afgunst met hun vleugels.

...De menselijke seksualiteit is een mystiek moment in de geschiedenis van het heelal. Alle engelen en alle andere wezens komen tevoorschijn om zich erover te verwonderen.

– Pater Matthew Fox

uit *Natural Grace: Dialogues on Science and Spirituality*, Rupert Sheldrake & Matthew Fox

De reden waarom mensen en engelen aangetrokken worden door de menselijke seksualiteit is dat het een lichtbron is die in het duister is gebleven.

– a.w.

Mama
help ons
jou
te helpen.

Gebed van de Mundo's

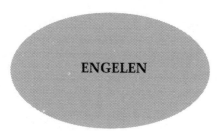

ENGELEN

Engelen

Als ze naar de stad gaat laat ze me luierend op de
schommel onder de eikenboom achter. Ze ziet me als
een schaduw, terwijl haar auto om de bochten zoeft die
haar snel de berg afvoeren. Ze luistert naar een muziek-
soort die ik jarenlang niet heb gehoord. Eerst denk ik dat
het Portugese fadoliederen zijn, dan besef ik dat het
flamencomuziek is, ook gekenmerkt door hartstocht en
een diepe melancholie. Ze kreunt mee met de vrouw die
zingt – of jammert eigenlijk – terwijl haar handen stijf
het stuur omklemmen onder begeleiding van de klaaglij-
ke kreten van de zangeres en het gehuil van de violen.
Door de vaart waarmee ze verdwijnt begint de oude
schommel te wiegen. Haar auto is zwart. Ook dat is een
blijk van mijn poging met haar in contact te treden.

Ze was zich er bij mijn dood niet eens van bewust dat
ze me miste. Het arme kind. Ze huilde niet bij mijn
begrafenis. Ze was een onaangedane toeschouwer. Haar
hart, dacht ze, was ontoegankelijk. Ik sloeg haar gade
terwijl ze op me neerkeek met de eigenaardige passivi-
teit van iemand die niet van zins is meer te lijden dan ze
al geleden heeft. Ze nam niet eens de moeite smalend te
glimlachen terwijl de gemeenplaatsen over mij – de
meeste ervan absurd – de kerk rondom haar vulden. Als
er een bijzonder grove onwaarheid werd uitgesproken –

dat ik nooit een vlieg kwaad zou hebben gedaan, bijvoorbeeld – deed ze alleen maar haar ogen dicht. Toen ze bij het graf stond hield ze de arm van haar Griekse echtgenoot, met zijn stugge krullende haar en zwarte snor, stevig vast en gaapte discreet terwijl ze zich opzij boog alsof ze iets in zijn harige oor fluisterde.

Ze wist niets af van mijn verdriet toen ik stierf. Het arme kind. Hoe kon ze dat ook weten?

Die avond, terwijl ze bij het vuur van de open haard zaadje voor zaadje een granaatappel at, miste ze me niet. Ze had meer het gevoel alsof er iets zwaars en donkers, iets dat ze nooit zou kunnen verklaren, van haar ziel was weggerold. Schaamteloos, nieuwsgierig, in de steek gelaten op de een of andere manier, keek ik tot diep in de nacht toe hoe zij en haar Griekse man de liefde bedreven.

De recente gebeurtenissen die verhuld blijk gaven van mijn aanwezigheid, begonnen met haar verlangen iets over engelen te weten. Hoe ze in de verbeelding zijn ontstaan, waarom mensen in alle culturen het moeilijk, zo niet onmogelijk, vinden om zonder hen te leven. Is de engel in de verbeelding een herinnering van een gestorven geliefde? Is de engel een aardse geest die onafhankelijk van ons bestaat en ons de milde zegening en het streven van de natuur doet voelen? Waarom droomde ze iedere nacht over engelen?

De Griek en zij gingen naar Kalimasa. Dit was in de tijd voordat de toeristen de gemeenschapszin van de Kalimasanen volledig uitputten en er nog overal, in ieders huis, een engel vloog. *Watti-tuus*, zoals ze genoemd werden. Sommige ervan waren gewoon gevleugelde vrouwen, met de handen, ogen en voeten van een vrouw. Maar andere waren gevleugelde meerminnen, hun bronskleurige schubben met goud bestoven. Sommige waren zo blank als appels; andere zo bruin als glanzende aarde. Zij – mijn dochter, Susannah – was verrukt.

De Griek, Petros, werd bekoord door haar hartstocht. Ik sloeg hem gade terwijl hij zich verzadigde aan de volle dis van haar enthousiasme. Ze straalde, ze was sensueel. Die eerste keer in Kalimasa begreep ik dat ze, als vrouw, iemand was die ik werkelijk niet kende.

Petros kocht als verrassing een engel voor haar, een *watti-tuu*. Het was een vrouw met donker haar, een donkere huid en volle borsten; haar buik was gevuld met kleine mensen, piepkleine huisjes en vogels. De vleugels ervan waren glinsterend groen geverfd. Ze lachte vrolijk, zoals ze als kind had gedaan. Ze klapte in haar handen. Vreugde straalde uit haar ogen. Dit was de opgewektheid die ik tientallen jaren niet had gezien, maar wel herkende. En die me aanlokte, als de warmte van een vuur. Ik zag opeens haar gezicht betrekken, alsof ze zich van mijn schaduw bewust was, en ik trok me haastig en vol spijt terug.

De tweede keer dat ze naar Kalimasa trok ging Petros niet mee. Ze had hem in Amerika verloren. Ditmaal reisde ze met een vrouw die zich niet naar de cultuur kleedde en de hele dag in haar badpak liep en zich op de motors van de mannelijke dorpsbewoners liet rondrijden die al minder bescheiden waren geworden en de pleziertjes die hun door de schaamteloze vrouwelijke toeristen werden aangeboden leerden aan te nemen. Deze vrouw, die wel goed in bed was, ergerde mijn dochter zo, dat ze dag aan zwoele dag in het vakantiehuisje bleef, waar ze logeerden, met een blauw linnen laken strak over haar hoofd getrokken.

Maar toen ze zich toch in de twee straten van het kleine dorpje *Wodra* waagde, waar meer toeristen waren dan ze de laatste keer dat ze er was voor mogelijk zou hebben gehouden, had ze de indruk dat ze door iets werd aangetrokken. Natuurlijk wist ze niet wat het was.

Klam en transpirerend, hoewel het pas acht of negen uur 's morgens was, stond ze opeens voor een sieraden-winkeltje.

De Kalimasanen zijn beroemd om hun verfijnde gevoel voor schoonheid. Om hun aangeboren gevoel voor evenwicht en verhouding. Dit gevoel voor wat precies goed is, kan in hun architectuur, hun grachten, hun watervallen worden gezien. Zelfs in hun kapsels. Bezoekers zeggen vaak dat alles in hun landschap, behalve de bergen die de meeste dorpen als spectaculaire rekwisieten omlijsten, door mensenhand gemaakt is, maar er toch volkomen natuurlijk uitziet. De zuiverheid van hun blik komt tot uitdrukking in de sieraden en de kleren die ze maken.

Het winkeltje was heel klein, zoals alle winkeltjes aan die kant van de straat bij het restaurant en de rivier. Slechts een meter of zo diep, nadat je drie treden vanaf de straat bent opgeklommen. Er waren vier rijen met bijous: ringen, armbanden, kettingen. Niets kostte meer dan vijftig Amerikaanse dollars. Susannah begon armbanden te passen, het soort dat van koper is gemaakt en honderd jaar oud lijkt, hoewel ze misschien de vorige dag zijn gemaakt. En toen viel haar blik op de ring waarnaar ze op zoek was geweest zonder het te beseffen. Zwarte onyx, ovaal van vorm. De zijkanten met goud bespikkeld. Hoewel het goud misschien iets anders was, aangezien de ring maar achttien dollar kostte. De ring paste precies om haar vinger. Opgetogen betaalde ze de jonge Indiase winkelier en vervolgde haar weg door het dorp Wodra en voelde zich zelfs zo gestimuleerd dat ze doorliep tot helemaal aan het Olifantenpad, twee kilometer buiten het dorp, voordat ze toegaf aan haar verlangen naar het vakantiehuisje terug te keren.

'Wat heeft die ring te betekenen?' vroeg de vrouw bij het avondeten, met die zeurende, bazige stem die mijn dochter was gaan vrezen.

'Hij is mooi,' zei Susannah. Ze bracht haar hand naar haar wang en liet hem daar rusten. Door het licht van de kaars verspreidden de gouden spikkels naast het onyx een rode gloed.

'Ik wilde je een ring voor die vinger geven,' zei de vrouw pruilend.

'Maar ik heb er nog negen,' zei mijn dochter. 'Allemaal leeg.'

'Je weet wat ik bedoel,' zei de vrouw. Ze heette Pauline. Gekleed in een wijd inheems 'kostuum' – want de dorpelingen zelf droegen hun traditionele klederdracht in werkelijkheid nog zelden – zag ze er mollig en erotisch uit. Ik beschouwde haar als iemand die alles op alles zette om als volwassene de jeugd te hebben die ze als kind had gemist. Ik begreep niet hoe Susannah haar kon verdragen.

Mijn dochter nipte peinzend aan haar thee. 'Jij ziet er vanavond ook mooi uit,' zei ze.

De vrouw werd onmiddellijk afgeleid door dit compliment, zoals mijn dochter verwacht had. Ze begon te zwellen van ijdelheid, aan de andere kant van de tafel, en zocht haar beeltenis in de ogen van mijn dochter.

De donkere ogen van mijn dochter waren wijdopen. Oprecht. Ze liet ze spiegels worden voor Pauline. Maar erachter was ze natuurlijk diep in gedachten verzonken.

Waar denkt ze aan? Beslist niet aan mij. Misschien denkt ze aan de Griekse echtgenoot die ervandoor was gegaan met een blonde stewardess. Aan zijn ontdekking dat het haar van de vrouw natuurlijk net zo donker was als het zijne. En aan zijn geklaag. Wat een vrouw ook was, het was nooit genoeg of goed genoeg voor hem. Ze hadden ruzies gehad omdat zij graag hoge hakken droeg, waardoor hij inderdaad nogal klein leek, en zij had vaak opgemerkt dat hij wat kleding betrof – hij was dol op tweed en ruiten, die zij met kleinburgerlijkheid en pas geïmmigreerd zijn associeerde – een slechte smaak had.

Maar misschien ook niet.

De vrouw tegenover haar is aan het flirten met de jonge jongen die hen bedient. Als hij een blad brengt waarop niet alleen saté maar ook bloemen liggen, vindt ze een aanleiding om met haar arm even zijn arm aan te raken. Het bedwelmende parfum dat ze opheeft, wolkt zwaar op in de broeierige warmte. Overal om haar heen neemt de spanning toe. Ze is het soort vrouw dat regen zou kunnen opwekken.

Later op de avond zullen zij en de jonge kelner in een innige omhelzing in de schaduw van de reusachtige bananenboom, vlak naast de brede, met planten bedekte veranda staan, om mijn dochter te bewijzen dat ze inderdaad begeerlijk is. Mijn dochter zal het erotische geritsel van de kleren van de vrouw horen. Het meelijwekkende, hoopvolle gehijg van de jonge jongen. Het zal op niets uitdraaien, weet ze. Pauline is te bang voor ziekten.

Jongens in Kalimasa zien er voor het merendeel nog onschuldig uit voor haar. Ze beschouwt hen als haar zoons. Hun grote, donkere ogen, die zo gemakkelijk te verbazen waren, bekoorden haar. Hun verlegen uitlatingen, in een zorgvuldig geleerd Engels. Het schokte en kwetste haar toen ze, gedurende haar vele bezoeken door de jaren heen, de eerste tekenen van afgunst in hun donkere ogen zag komen. De ogen van hun ouders hadden geen afgunst vertoond, maar meer verbijstering over de (voornamelijk) bleke vreemdelingen die met hun klamme hoofd overal opdoken, verbaasd dat er zoveel leven bestond op een deel van de planeet waar ze zo weinig van af wisten. Ze verwonderden zich over de architectuur, de plantengroei. De schilderijen – er waren overal schilderijen – de muziek en natuurlijk de dans.

Wordt er dan niet gedanst en geschilderd waar zij vandaan komen? vroegen de oude vrouwen aan elkaar.

Hebben ze geen smakelijk voedsel?

Hebben ze geen blijvende plantengroei?

Zowel jong als oud stond voor een raadsel. Sommigen waren gevleid, maar de meesten waren doorgaans behoedzaam of onverschillig. Weinigen van hen herinnerden zich dat de monarchie in hun land in een verre eeuw door Europeanen omver was geworpen. Hun mooie land bezet. Hun koning onthoofd, de koningin verkracht. Hun land meer dan tweehonderd jaar lang vertrapt en uitgezogen; een periode van ogenschijnlijk geheugenverlies om te kunnen overleven. Weinigen durfden al te diep na te denken over de gruwelen die hun voorouders hadden ondergaan: over de loodzware, etterkleurige mannen boven op hen, die naar oude tabak, zure wijn en ranzige kaas roken. De bijna volledige naaktheid van de Kalimasanen bracht de seksueel gefrustreerde Europeanen tot toppunten van wreedheid terwijl ze tevergeefs probeerden hun wellust te ontkennen. Zo veel schoonheid in een wereld die zich niets aantrok van hun gewoonten, een groene, zachte, soepele wereld die eigenlijk walgde van de kolossale dikte van dat bleke mannenlichaam met zijn scheterige wollen ondergoed, zwarte cape en lelijke hoed. De mensen hadden in stilte geleden, ogenschijnlijk in een gezamenlijke slaap gezonken. De slaap van de schaamte. Maar toen waren ze gezamenlijk ontwaakt, alsof er een eind aan een periode was gekomen. Ze boden weerstand. Ze werden onafhankelijk, althans in naam.

———

Ze luistert naar de vrouw die zachtjes naast haar ligt te snurken. Dan, terwijl ze haar gedachten uitschakelt, begint ze haar te strelen om haar wakker te maken. De vrouw reageert onmiddellijk, alsof ze nooit echt in slaap is geweest. Ze laat toe dat mijn dochter haar zware borsten, die warm aanvoelen, en haar donzige buik vanwaar de geur van sandelhout tussen de lakens opstijgt overal betast. Mijn dochter duwt haar neus in de vouw van de hals van de vrouw, die net als haar borsten ongelooflijk warm is. De vrouw rolt om en is opeens de initiatiefneemster, ze zit boven op mijn dochter, met gespreide benen. Mijn dochter heeft dit gewild. Ze gaat breeduit op het bed liggen en trekt het dunne nachthemd uit om een onbelemmerd contact mogelijk te maken. De vrouw rukt het reepje kleding dat ze draagt, iets dat haar lendenen nauwelijks omspant, van haar lichaam en begint mijn dochter hard te berijden, alsof ze haar in het matras wil drukken dat op een teer onderstel van bamboe ligt.

Ze is uitzinnig na haar afspraakje met de Kalimasaanse jongen. En ook door de schijnbare onverschilligheid van mijn dochter ten opzichte ervan. Nu zuigt ze haar onstuimig, de borsten van mijn dochter vol en bruin en op de een of andere manier smekend onder Paulines witte tanden en volhardende mond. Tussen de borsten van mijn dochter vloeit zweet, dat Pauline als een hond oplikt. Tussen haar benen, waar de hand van Pauline zich ongemerkt een weg heeft gezocht, is al een stroompje vocht. Ze voelt hoe Paulines vingers, eerst een, dan twee, dan drie, haar met een gebiedende zekerheid binnendringen. Ze geneert zich als ze zichzelf hoort kreunen en is beschaamd als ze Pauline hoort grommen om haar overwinning. Het lichaam van mijn dochter begint tegen de hand van de vrouw te bewegen. O, zegt ze. En o, en o, en o. Pauline bijt in haar oren. Ze likt haar lichaam overal waar het bezweet is. Ze houdt haar op het matras gedrukt en laat niet toe dat ze overeind komt. Als mijn dochter haar hoofd van het bed optilt zodat de aders in haar hals duidelijk zichtbaar zijn, steekt Pauline haar lange jammerende tong met zoveel kracht in haar mond dat ze het hoofd van Susannah bijna onder het kussen duwt. Alleen de volgepropte mond van mijn dochter is te zien. Paulines voorhoofd rust op het kussen dat het gezicht van mijn dochter verbergt.

Pauline is zich bewust van de geringste trilling in het lichaam van mijn dochter, maar ze reageert ook haar wellust voor de Kalimasaanse jongen af. Ze verbeeldt zich dat hij door het bamboegordijn aan het voeteneind van het bed komt, zijn penis – die glad en zwaar is, zoals ze tot haar vreugde ontdekte – stijf en druppelend van hoop en schuchtere verwachting. Ze verbeeldt zich dat ze hem beveelt bij het bed, bij haar achterste, te komen. Verbeeldt zich dat hij in haar is en haar berijdt, zoals zij Susannah hard berijdt alsof ze haar om haar afstandelijke houding zou willen vermoorden, haar om haar onverschilligheid zou willen afmaken. Haar beurs zou willen stoten om de dagen die ze met haar hoofd onder de dekens in bed heeft doorgebracht, onverschillig voor Pauline.

Als ze haar tong uit de keel van mijn dochter haalt, likt ze haar oksels, haar zijden; ze eist het lichaam van mijn dochter op terwijl ze bedreven naar achteren schuift, naar de glibberige penis van de jongen, wiens vuur ze in haar kut, haar kont, in haar eierstokken en baarmoeder voelt. Dit is niet het moment om zich haar eigen kleinzoons te herinneren, half zo oud als de Kalimasaanse jongen. Maar dat gebeurt wel. Seks is voor haar als een hutspot, iedereen zit er tegelijkertijd in. Ze verbeeldt zich het stoten van de penis van de Kalimasaanse jongen. Ze voelt haar eigen clitoris, gigantisch tegen het lichaam van de vrouw op wie ze zo boos is. Ze wil dat haar kleinzoons dit soort macht over een vrouw, of over een jongen kennen. Het is de enige macht over anderen die ze voor hen wenst. De macht om een ander meedogenloos te bevredigen en ongehaast je eigen genot te zoeken.

Ze staat op het punt om klaar te komen. Maar laat het nog niet toe. Ze tilt haar lichaam van Susannah af. Steunt op haar knieën, haar hand druk bezig tussen de benen van mijn dochter. Benen die, hoewel wijd vaneen, nog niet wijd genoeg zijn. Mijn dochter kreunt. Voelt zich een slappeling. Hoe kon ze zich zo gedragen bij deze vrouw die haar zo vaak ergert? Het is een raadsel waarover ze zich vanavond niet het hoofd zal breken. Ze voelt hoe Paulines vuist, elke knokkel duidelijk merkbaar, langs haar schaamlippen strijkt en hittegolven naar haar buik jaagt. Ze voelt vingers en dan volle warme lippen op haar borst. Maar de intensiteit neemt af, de energie verslapt. Ze gluurt door haar verwarde haren om te zien wat er met Pauline aan de hand is. Het is zoals ze vermoedt. Pauline wacht tot ze erom zal vragen. Erom zal bidden en smeken. *Tot ze tegen haar hand zal kronkelen en kreunen. O, toe, toe, lik me.*

———

Dit is het moment waar Pauline zo van houdt. Als ze eraan zou denken hoeveel ze ervan houdt voordat het plaatsvindt, zou ze klaarkomen en missen wat voor haar het hoogtepunt is. Dat ene moment waarop al haar formidabele schoonheid erkend wordt, haar ontzagwekkende macht aanvaard, de zinnelijkheid van haar brutale gedrag om met een badpak aan achterop de motor bij hindoejongens te zitten in een land geregeerd door moslims, vergeven.

De Kalimasaanse jongen heeft haar borsten nu vast

terwijl zij, in wat een vorstelijke, zelfs majesteitelijke hurkzit lijkt, op de smeekbede wacht waarvan ze weet dat die zal komen. Ze heeft deze vrouw diepere orgasmen bezorgd dan ze ooit heeft ervaren; ze voelt dat ze er volledig controle over heeft. Pauline heeft nog dezelfde borsten als toen ze dertig was. Stevige, naar boven gerichte borsten die maar een klein beetje hangen waardoor ze alleen maar soepeler in de hand liggen. Borsten die nooit een bh hebben gekend. De mond van de jongen op haar borsten is zo koel als een meloenzaadje. Ze wiegt heen en weer terwijl ze wacht tot mijn dochter zich zal overgeven; de siddering van mijn dochters lichaam tegen haar clitoris laat haar bijna komen. Ze schuift een stukje van haar af. Het zou dwaas zijn nu klaar te komen en het moment op te geven waarop mijn dochter zich geheel blootgeeft.

Toe, zegt mijn dochter.

Toe wát? zegt de vrouw, die haar hand nu helemaal stilhoudt.

Mijn dochter fluistert iets.

Pauline zegt luid: Zeg 't harder!

Lik me, zegt mijn dochter en ze kijkt Pauline recht aan.

Ze hoort de vrouw scherp inademen. Terwijl ze haar nog steeds diep in de ogen kijkt, de wellust en triomfantelijkheid ziet, en erkent, steekt ze haar hand omhoog en raakt Paulines clitoris aan. Deze is gezwollen, trillend, haar kut druipnat. De hand van mijn dochter is als een danseres in het vloeibare vuur van de vrouw. Bedwelmd brengt ze haar hand naar haar neus. De geur van het geslachtsdeel van een vrouw is als geen andere ter wereld. Het is een geur waarvoor ze in het stof zou kruipen, hoewel Pauline, nuchter als altijd, haar eraan heeft herinnerd dat het een geur is die ze zelf al heeft.

Pauline trekt haar hand langzaam pompend omhoog en dan uit het lichaam van Susannah, dat rillend en sidderend zijn verdriet om het verdwijnen van de hand kenbaar maakt. Elke vezel van haar lichaam wacht gespannen op wat er met haar kittelaar zal gebeuren.

————

Pauline zou haar graag nog wat meer laten smeken. Ze heeft een arrogante, bijna vijandige houding die weinigen van haar vrienden, collega's, kinderen en kleinkinderen ooit van haar zien. Het is een machtspositie. Ze geniet ervan. Maar als ze niet voortmaakt zal de aanblik van Susannah, die als een feestmaal voor haar ligt uitgespreid, haar naar een climax voeren – en daar is ze nog niet aan toe. Ze kan eigenlijk nauwelijks geloven dat ze zich zo lang heeft kunnen beheersen en zich het genot van mijn dochters intiemste deel heeft ontzegd.

Nu is ze een en al tederheid, terwijl ze haar bezwete lichaam voorzichtig tussen de benen van mijn dochter schuift en ze heel zachtjes wijder vaneen duwt met haar eigen brede, forse schouders. Ze zwaait haar loodgrijze lokken uit haar ogen, glijdt omlaag en laat zich zakken.

Het is haar warme adem die mijn dochter voelt. Ze wordt onmiddellijk kalm. Ze gaat behaaglijk op het bed liggen. Legt haar hoofd precies in het midden van het kussen. Zucht. *Eindelijk.* Raakt dankbaar, gebiedend, achteloos haast, even de schouders en het warrige haar van de vrouw aan. Hoewel ze zich overgeeft, wordt ze bijna geheel verteerd door haar eigen machtsgevoel.

Pauline laat haar clitoris heen en weer schieten met een tong die van suède lijkt, en Susannah begint opnieuw te kreunen. Haar gekreun is zo dierlijk en hees, zo ongeremd en beschamend, en verschilt zo sterk van de persoon die ze van dag tot dag is, wanneer ze vaak opmerkingen hoort over een zekere kritische hooghartigheid in haar karakter, dat het komisch is. Ze laten beiden hun hartstocht even varen en schieten in de lach. Het bed schudt terwijl ze giechelen; een dun bamboepootje breekt. Verdomme, zegt Susannah. Pauline tilt haar hoofd op: De volgende keer, mompelt ze, ga je op de grond.

Paulines mond omvat Susannah's vulva volkomen. Geen stukje ervan ontsnapt haar eerst. Het is alsof ze haar baarmoeder eruit wil zuigen; en met haar lange, jammerende tong lijkt ze er inderdaad recht op af te gaan. Alleen zingt de jammerende tong nu, en Susannah voelt hoe ze naar de hemel zweeft en probeert haar aankomst te vertragen. Ongewild denkt ze op dat moment aan mij en aan haar moeder, die zo vaak ruzie maakten toen ze klein was. Maar na de ruzie volkomen tevreden en verzoend met elkaar uit onze slaapkamer kwamen. Al onze bewegingen traag, al onze uitingen gekenmerkt door een raadselachtige kalmte.

MacDoc

Natuurlijk deed Paulines gedrag me aan dat van Magdalena, Maggie, MacDoc denken.

Toen Susannah vier was, zond mijn Kerk me als geestelijk adviseur naar Mexico om onder de Mundo-Indianen te werken. In werkelijkheid waren haar moeder en ik beiden antropoloog, maar in het begin van de jaren veertig wilde niemand ons geld geven voor een echte expeditie. Dus deden we een beroep op de goedheid van onze Kerk, zoals zwarte mensen altijd doen wanneer alle andere voorzieningen het laten afweten. We legden uit dat we over de Mundo's hadden gehoord: dat ze een kleine groep van gemengd zwart en Indiaans bloed vormden, die tijdens de Burgeroorlog over de grens was gevlucht, en dat deze mensen zich nu, net als anderen van hun rassenmengsel rond Vera Cruz, Costa Rica en elders, niet als Afrikanen of Indianen beschouwden, maar als Mexicanen met een donkere huid. Maar omdat ze zo geïsoleerd leefden, hadden ze, zei men, bijzondere stamgewoonten behouden die ze in ere hielden en nooit hadden verworpen. Dit was een raadsel voor vroegere antropologen die geprobeerd hadden hen te bestuderen, omdat ze voortdurend, dacht men, met uitroeiing werden bedreigd. Maar ditmaal waren ze echt aan het uitsterven, volgens de inlichtingen die we hadden, en het was dringend gebóden dat we van hun levenswijze getuige waren voor ze ophielden te bestaan.

Wij, mijn vrouw Langley en ik, legden de hele afstand met de auto af, hoewel we gedwongen waren ons voertuig bij de laatste povere missiepost die we tegenkwamen – de kerk een vervallen gebouw – achter te laten, aangezien de Mundo's in volstrekte afzondering in de bergen van de Sierra Madre leven, waar hun naaste buren, de Tarahumara's, nog altijd driehonderd kilometer verderop wonen. De Mundo's zonden ezels voor ons de berg af en toen we arriveerden, troffen we een verzameling vriendelijke, nieuwsgierige dorpelingen aan die geroosterd schapenvlees en gegrilde maïs aan het bereiden waren.

Maggie was zes jaar. Maar geen zesjarige beheerst door een onschuldige vrolijkheid. Geen zesjarige gekenmerkt door een trage loomheid. Geen zesjarige die alleen maar gedreven werd door wat een speelse nieuwsgierigheid haar ingaf. Nee. Ze was een zesjarige die al met onverholen blik naar alles wat haar interesseerde staarde. En wat haar, volgens mij, zelfs op zo jonge leeftijd al interesseerde, waren mannen en wat door hun broek aan het oog werd onttrokken.

Mijn vrouw zag dit niet als een probleem. Laat het kind met rust, raadde ze me aan als we 's avonds naar bed gingen, kinderen zijn nieuwsgierig! Ik klaagde dat Maggie ons met haar vrijpostigheid in verlegenheid bracht. Met haar gestaar en de manier waarop ze jongens benaderde die drie keer zo oud waren als zij. Ze is nieuwsgierig, die lieve dochter van me, zei mijn vrouw. Ze lachte. En de jonge mannen hier hebben inderdaad een grote aantrekkingskracht. Ze haalde haar schouders op. Kom ook naar bed en vergeet het condoom niet.

———

Langley maakte me aan het lachen. Bijna iedere nacht maakte ze me aan het lachen, zoals ze die avond gedaan had toen we elkaar voor het eerst ontmoetten; op een societybal, in een keurige, rijke enclave van Harlem, georganiseerd door zwarten uit de hogere stand voor hun opgeschoten mannelijke en vrouwelijke kroost. Haar ouders hadden wat in die tijd met afgunst geld uit de muziek werd genoemd van een beroemde oom geërfd die jazzcomponist en -artiest was. Na Jack and Jill, wat door de meeste zwarte mensen als een kleuterschool voor de rijken werd beschouwd, en na de kostschool, was ze naar het Colgate College in Maine gegaan. Ik, daarentegen, was werkstudent geweest op het Hampton Institute in het Zuiden en was zo arm dat ik maar een kostuum bezat, het kostuum dat ik aanhad toen ze me ten dans vroeg.

Ik was zo verbaasd door deze schending van wat welvoeglijk was, vooral toen ik haar ouders zag kijken, en tegelijkertijd zo opgewonden door de speelse overmoed in haar ogen, dat ik de roze punch die ik dronk helemaal over me heen morste.

Roze staat je goed, zei ze stroef, terwijl ze geen glimlachje liet zien en kalm met een verrukkelijk geurend, sierlijk zakdoekje mijn stropdas bette. Ik lachte omdat het beslist niet was wat ik verwacht had dat ze zou zeggen.

In Mexico was ze een vrouw die twee kanten had.

Overdag, als de vrouw van de 'pastor', droeg ze donkere kleuren, zelfs in de warmte van de middag. Of op feestdagen sneeuwwit, zoals sommige Indianen. 's Nachts droeg ze helemaal niets. Ach, wat kan het God schelen wat ik aanheb? had ze de eerste nacht dat we met elkaar naar bed gingen gezegd, en ik was verbluft door haar schoonheid, zoals ze daar naakt stond, maar ook diep geschokt. Hij kan dragen wat hij wil, met inbegrip van ons. Ik had kunnen aandringen, denk ik, maar ze had niet eens een nachtpon. Al vond ze wel iets, dat ze voor me omhooghield. Het leek bruikbaar en had de kleur van gepocheerde zalm, 'huidkleurig', stond er op het label. Er zaten baleinen in. Zal ik in dit korset slapen dat ik van je moeder heb gekregen? vroeg ze. Ze keek bedenkelijk en drapeerde de lelijke kleur tegen haar zachte huid.

———

Susannah werd gefascineerd door de reusachtige potten die de vrouwen in grote aantallen maakten. Sommige waren zo groot dat ze haar hele hoofd erin kon stoppen. De Mundo-vrouwen gebruikten maar drie kleuren: het rood van de aarde, dat de kleur van de pot zelf was, afkomstig van de klei uit hun omgeving, het zwart van de houtskool, en het wit van de kalksteen, dat als versiering werd gebruikt en na het bakken in het vuur niet wit maar grijs was. Er waren maar weinig dessins op de potten van de Mundo's, hun schoonheid bestond in de gepolijste gladheid ervan, de symmetrie van hun vorm. Hun bruikbaarheid. De ruwe, ongepolijste potten die ze ook maakten, werden omwonden met repen geitenleer; deze werden met graan gevuld en op de rug van ezels gebonden die de potten naar de markt brachten waar ze werden verkocht.

Wij waren er toen de spoorweg op minder dan een dag reizen van hun bergachtige terrein kwam, bijna een eeuw nadat de aanleg ervan in Mexico was begonnen. En we waren er ook om het begin van het einde te zien van de lange rij ezels die zich in de verblindende zon slingerend een weg van de berg af baanden.

———

Langley leerde pottenbakken bij de vrouwen. Ze leerde de klei op te graven, te zuiveren en samen te pakken, en de lange spiralen te maken die de zijkanten van iedere pot vormden, en daarna voor de groeiende pot neer te knielen die als bij toverij uit haar ondiepe grasmand oprees, vaak met het puntje van haar tong uit haar mondhoek, in diepe concentratie, zoals de andere vrouwen. Bij het maken van een pot had je het onmiskenbare gevoel dat je aan het bidden was, zei ze. Vooral bij de eerste beginnerslessen, toen ze echt bad dat haar glibberige, wiebelende maaksel niet in zou zakken. Het was logisch, zei ze, dat de primitieve mens, toen deze hun moeder potten had zien maken, veronderstelde dat God de mensen van klei had gemaakt. Maar waarom ze bij het zien van hun moeders werk dachten dat God een man was, snapte ze niet.

———

Vanuit het raam van mijn werkkamer in het kleine huis dat we hadden gekregen, sloeg ik hen gade. Susannah en haar moeder, vastbesloten zich een vaardigheid eigen te maken. Volkomen geboeid door de kalme wijze waarop de vrouwen hun kunst beheersten waarmee ze het leven in stand hielden. Want in deze potten werd het eten en drinken van de stam bewaard. En Maggie, in het ravijn bij de wilde Indiaanse jongens die haar al zulke vrouwelijke vaardigheden leerden als van het ene op het andere kolossale rotsblok te springen zonder een been te breken. En te rennen zoals zij, als de wind.

Ik begreep haar temperament niet. Ik verlangde naar leiding. Het leek nodig haar te beteugelen, hoewel niemand onder de Indianen of in mijn eigen gezin maar enigszins liet blijken er ook zo over te denken. Ik denk dat de Indianen haar bewonderden. Toen ze tien jaar was, gedroeg ze zich als een van hun zoons en leek zelfs op een van hen. Maar hun eigen dochters waren als Susannah, ingetogen, geïnteresseerd in vrouwenzaken. Er was er niet een zo wild als MacDoc, zoals Maggie nu werd genoemd. Ze had Mad Dog, dolle hond, willen heten, maar dat ging me te ver.

MacDoc. Mijn dochter MacDoc. Toen ze in de puberteit was begon ik, in een poging haar te beschermen, haar bij haar vrienden vandaan te houden, de wilde jongens van wie sommigen nu haar vrouw-zijn begonnen op te merken. Ze merkten het op, omdat zij vol trots een transformatie toonde die zij niet konden evenaren. Kwamen er ook knopjes op hun borst? Nee! Begonnen er ook haartjes op hun onderlichaam te groeien zoals bij haar? Nee! Nou, dan waren het nog kinderen. En geen vrouwen. Alleen maar onvolwassen kleine jongetjes!

Ze huilde en ging tekeer bij het maken van haar huiswerk in de kamer die ze met Susannah deelde. Als de wilde jongens haar kwamen zoeken, met gekwetste verbazing in hun ogen, stuurde ik hen weg. Ik stond erop dat ze Magdalena werd genoemd.

Dit was een van de redenen voor de ruzies tussen Langley en mij. Ze was het niet met me eens dat Magdalena er verkeerd aan deed haar eigen aard uit te drukken.

Maar wat als ze zwanger raakt? zei ik. En ik stelde me voor hoe duur het zou zijn alle jonge mannen in het dorp condooms te geven.

Mijn vrouw zweeg. Dat ik zo over mijn dochter dacht stelde haar teleur. Het was een van die stilten die ik had leren begrijpen. Ze betekende: ach, waarom ben ik eigenlijk bij je? Tenslotte zei ze: Maar volgens mij wíl Mad Dog helemaal niet met iemand anders dan haar zusje slapen.

Dit was zo typerend voor Langley. Geen oog hebben voor wat overduidelijk was en nog dwars doen ook.

Magdalena, zei ik.

Ja, hoor, zei ze. Begrijp je dan niet dat er geen Magdalena meer is? En ook geen Maggie. Dat Magdalena en Maggie allebei niet meer bestaan.

Maar zo hebben we haar genoemd, zei ik.

Ja, zei Langley, en duidelijk vóór we wisten wie ze was.

Nou, ze kan niet Mad Dog heten, zei ik. Ze is de dochter van een predikant!

Maar dolle honden worden hier als wijs beschouwd, zei mijn vrouw. Misschien had je ons nooit hier naar toe moeten brengen. Ze zuchtte en pakte mijn hand.

Je moet met Mad Dog praten, zei ze, en haar uitleggen waarom ze niet tegelijkertijd Mad Dog en jouw verstandige dochter kan zijn.

Dat probeerde ik.

Maggie, Magdalena, Mad Dog, MacDoc, was inmiddels vijftien jaar geworden. En langer dan ik. Op de zomers na, die Susannah en zij vaak bij hun grootouders in Long Island doorbrachten, was ze in de bergen van de Sierra Madre opgegroeid. Ze was een zwijgzame, peinzende jonge vrouw die bijna alleen plezier beleefde aan lezen. Dat vond ik prettig. Niet haar zwijgzaamheid of het peinzen, maar de kalmte. Wanneer ze aan haar bureau of onder een boom of in de schaduw van een rotsblok in de tuin zat te lezen, leek ze, vooral op een afstand, heel damesachtig, heel ingetogen. Omdat ze minder actief was begon ze aan te komen en haar loop kreeg een sjokkend karakter; een toestand die Langley zorgen baarde maar mij niet bijzonder stoorde.

———

Ze eet zo veel meer dan gewoonlijk. Heb je dat niet gemerkt? vroeg mijn vrouw.

In een poging om mijn genegenheid te tonen schepte ik soms nog een extra portie op haar bord.

Ik controleerde haar garderobe. Haar jurken waren lang, de halzen hooggesloten.

Binnenkort ben je zestien, zei ik. En een vrouw. Bij die gelegenheid mag je een nieuwe naam kiezen. Ik wierp een zijdelingse blik op haar. Omdat het lente, bijna het begin van de zomer was, was het pad waarop we liepen bezaaid met piepkleine blauwe bloempjes die na elke regenbui opensprongen. Vóór ons verhieven de bergen zich in een wazig zachtpaarse en gevlekt blauwgrijze glorie. Ik zei in mezelf dat ze vrijwel haar hele leven in deze betoverende omgeving had gewoond. De invloed van een dergelijke schoonheid op haar ziel moest overweldigend zijn, peinsde ik, en zou gedurende de woeste stormen van haar leven waarschijnlijk een stabiliserende factor zijn.

Ik weet dat we binnenkort naar huis gaan, zei ze. Mag ik daarom een nieuwe naam kiezen?

Dat was eigenlijk zo. En dat zei ik ook. Op Long Island, in Sag Harbor, heb je een naam nodig die anderen kunnen begrijpen. Je nichtjes, bijvoorbeeld. Ze fronste haar wenkbrauwen. Ze had een hekel aan haar nichtjes die gekleed waren als poppen en, ook net als poppen, star voor zich uit zaten te kijken. Ze had altijd zin gehad om vuil op hun jurken te smeren. En had dat waarschijnlijk gedaan ook.

Ik zal June heten, zei ze.

Ik was verbaasd. Het was niet de naam van een mens maar van een maand: juni. Maar toch was het een vrouwelijke, vriendelijke naam. Ze had het er slechter van af kunnen brengen.

En als je er bezwaar tegen hebt, ging ze verder, zal ik July heten.

O, nee, zei ik lachend en ik probeerde haar zachtjes in de schouders te knijpen terwijl ze zich van me afkeerde. Hij is perfect. En het is ook de maand waarin we nu leven!

Ja, zei ze onbewogen, zonder mijn blik te beantwoorden.

———

Ik geloof dat we pas beseffen dat we onze dochters verloren hebben als ze al weg zijn. Maar misschien zou ik, in alle bescheidenheid, alleen voor mezelf moeten spreken. Ik had inderdaad een gevoel van gemis, dat ik iets kwijt was, toen we van onze wandeling in de bergen terugkeerden. Ik voelde een leegte om mijn hart, een lacune. De overwinning was gemakkelijk geweest. Te gemakkelijk. Ik wist dat ze plannen en complotten had gesmeed om aan de netten van een nieuwe naam te ontsnappen, maar uiteindelijk had ze zich zonder tegenstand gewonnen gegeven. Wat betekende dit? En waarom kon het me niet schelen?

We begonnen haar allemaal June te noemen. Het is beslist een mooie naam. Elegant. Een naam die je aan geheimzinnigheid en warmte doet denken. Een naam die een belofte inhoudt en vele dingen zegt, die allemaal over de vochtigheid, rijpheid en vruchtbaarheid van de zomer gaan. June is altijd het nieuwe begin van wat overvloedig is. Ik noemde de beroemde mensen, de dichters, musici en schilders, die deze naam hadden. Mijn dochter glimlachte nu alleen nog als ik sprak, ze liet nooit meer haar scherpe witte tanden zien. Ik voelde dat ze me meer tolereerde dan dat ze echt met me omging. Terwijl we aan het inpakken waren om de bergen voorgoed te verlaten, zong ze zachtjes een heidens lied. Iets over de eenheid van het onbedekte menselijke lichaam en de naaktheid van de hemel. *Por la luz, por la luz... bij het licht, bij het licht,* leek een droevig refrein.

Het was een lied dat in onze kerk niet was toegestaan. Die kleine witte kapel, die de bezoekers bij binnenkomst verraste met zijn helder blauwe, groene en gele muurschilderingen. De sterrenhemels op het plafond. De graanvelden, met de rijen maïs die elk raam binnenrukten. De grote groene watermeloenen, met druipend rood vruchtvlees en zwarte zaadjes als ogen afgebeeld, die vlak boven de preekstoel geschilderd waren. Niemand eiste de eer of de verantwoordelijkheid op voor het beschilderen van de binnenkant van de kerk, die als dag en nacht van de buitenkant verschilde. Toch liet men de schilderingen nooit vervagen. Toen mijn superieuren uit Long Island kwamen kijken hoe het met mijn zendingspost was gesteld, waren ze erdoor verbijsterd. Heidenen, merkten ze snuivend op. Maar mij verontrustte het niet. Het deed me denken aan de zomers die ik in Noord-Carolina had doorgebracht bij mijn grootouders die een boerderij hadden. De weligheid van de maïsvelden daar, de donkere sterrenhemel 's avonds, de onmetelijke, alles overtreffende schoonheid en smaak van mijn grootvaders watermeloenen. De muurschilderingen in de kerk maakten me minder eenzaam, terwijl ik de blasfemische, ongewenste gedachte probeerde te onderdrukken dat de bewondering voor maïs en meloenen universeler is dan de bewondering voor Christus.

Sommige van hun liederen waren in de kerk toegestaan. En vele gebruikelijke hymnen – 'Voorwaarts, Christensoldaten,' bijvoorbeeld – werden in hun taal vertaald. Dit vond ik niet meer dan gepast aangezien we ons op hun grondgebied bevonden. Maar niet het lied dat June zong, met zijn profane boodschap over eenheid met de schepping zonder dat er een schepper werd erkend. Ik had het maar eenmaal eerder gehoord, tien jaar geleden, in de maand dat we aangekomen waren. Het was eigenlijk een half gesproken, half gezongen lied, zich herhalend en monotoon zoals dergelijke liederen zijn. De stam had erdoor gehypnotiseerd geleken, meegevoerd naar een plaats die geheimzinniger was dan de kerk, waar ze onafgebroken hun aandacht moesten vestigen op de in-gewikkelde ideeën, gebruiken en levens van vreemdelin-gen in een boek, de bijbel, dat hen niet bijzonder boeide. Het lied was niet op papier vastgelegd. Hoe had ze het geleerd? Wat betekende het? Zongen de mensen dit lied nog steeds bij geheime ceremonies? June wist het blijk-baar. En ze wist ook dat ik het niet wist. Dit was haar macht, onverhuld. Het was een macht niet alleen over de God die we met deze mensen waren komen delen, maar een macht over mij.

TAKKEN

Ik wist pas veel later dat Susannah voor onze slaapka-
merdeur stond toen papa me strafte. Het moet voor haar
even onbegrijpelijk zijn geweest als voor mij. Ik wist dat
ik hem niet gehoorzaamd had, maar hij was tenslotte
predikant, of deed tenminste zijn uiterste best om er een
te lijken. Hij was zelfs geleidelijk aan van pastor priester
geworden en ging iedere dag in het zwart gekleed. Zijn
beroep was gebaseerd op het vergeven van andermans
zonden. Ik weet zeker dat hij dacht dat hij me aan
banden had gelegd, met de lange witte jurken die hij voor
me bestelde en mijn schoenen met riempjes, de ouderwetse, kleurige sjaals die hij van de wevers in het dorp
kocht. Maar hij begreep mijn hartstocht voor paardrijden
niet, of mijn bijzondere hartstocht voor het rijden op
Vado, de zwarte hengst van Manuelito. En dus wist hij
natuurlijk ook niet waar hij me moest zoeken, toen het
duidelijk werd dat ik het nest was ontvlucht. Dat ik
schijnbaar naar willekeur was ontsnapt, hoewel de deur
op slot was. Dat zelfs Susannah, zijn liefhebbende hielen-
likker, met me had samengespannen en tegen hem had
gelogen. O, lieve paps, zoals ze op die vleiende, weerzin-
wekkende manier tegen hem zei, onze Magdalena slaapt.
O, lieve paps, onze Magdalena zit op de wc. O, lieve paps,
ze schijnt flauwgevallen te zijn van de buikpijn.

Maar op die laatste dag ging ik er niet stiekem vandoor. Manuelito en Vado verschenen op een heuvel die ik vanuit mijn raam kon zien en terwijl mijn familie zat te lunchen, ging ik naar hen toe. Ik trok mijn lange rok ver over mijn dijen omhoog en Manuelito sprong van het paard om me erop te helpen. We waren even bruin en onze donkere ogen waren even brutaal en zorgeloos. Vanaf de dag, zovele jaren geleden, waarop ik met mijn familie was gearriveerd, waren hij en ik twee zielen met één gedachte geweest. Manuelito had me in mijn zij geknepen terwijl papa, met een kikker in zijn keel, voorging in zijn eerste gebed, een gebed dat hij onderweg in de auto had geleerd en waar hij duidelijk niet in geloofde, en ik had meteen – hard – op zijn blote voet getrapt met mijn Noord-Amerikaanse schoen met leren zool.

Zo was het met ons. Geen tranen, veel pijn. We zeiden niet dat we van elkaar hielden. Nee. Zo waren we helemaal niet. In plaats daarvan ontdekten we samen vogelnesten, niet meer in gebruik zijnde paden, vervuilde bronnen, feestmalen voor gieren, ratelslangholen, een vallei vol grasklokjes vroeg in de lente. Al deze dingen beleefden we samen bijna zonder een woord te zeggen. En als we elkaar aanraakten maakten we slechts terloops aanspraak op de ander, verlangden we alleen maar dat ene moment van aanraking te bezitten en niets meer. Maar dit betekende ook dat wanneer Manuelito maar één krul van mijn springerige haar aanraakte – want in Mexico hoefden we het niet te ontkrullen – ik die ene, schijnbaar gedachteloze beroering tot in het puntje van mijn tenen als iets levends, kronkelends, zinderends voelde.

De plek waar we samen naar toe gingen was vertrouwd. Het was in feite ons huis. We gingen naar huis. We gingen naar ons eigen huis. Zelfs nu denk ik er nog graag zo aan. Het was een ondiepe grot in de berghelling. Een roestkleurige struik verborg onze ingang. Maar als je binnen was kon je door de struik kijken en dan zag onze woonkamer op een vallei uit. En in die voortuin van ons bloeiden in de lente wilde grasklokjes.

We richtten ons huis in met alleen maar een deken, die achter een paar stenen was verstopt, en een waterkruik, die we opnieuw met Manuelito's geitenleren zak vulden als we er waren. In ons huis werd ik bij mijn naam genoemd, Magdalena. Alleen als Manuelito die naam uitsprak klonk hij goed. Hij zei hem zacht. Met zo veel eerbied! Hij zei dat hij de klank ervan vooral mooi vond als hij hem, als een gebed, tegen mijn clitoris fluisterde. Wanneer zijn mond daar mijn naam vormde en ik de vederlichte beroering van zijn adem onderging, had ik het gevoel dat mijn hele wezen zichtbaar was. Alles binnen in mij, zelfs alles in mijn ziel, leek zich in zijn armen te storten. Manuelito, mijn lieveling, mijn *angelito*, mijn mooie, mooie jongen, fluisterde ik terug. En het licht en de bergen en de grasklokjes... wij waren het allemaal.

Ik dacht dat ik in verwachting kon raken omdat ik veertien was, want op die leeftijd vrijde ik voor het eerst met Manuelito; hij een jaar jonger dan ik. Maar toen ik hem dit later vertelde, lachte hij en zei nee, dat we een jaar lang op goed geluk gerommeld hadden omdat hij niet precies wist wat hij moest doen. Alles wat we deden vond ik prettig en ik voelde me geheel bevredigd als ik alleen maar vlak naast hem lag en zijn mondhoeken kuste of zijn oogleden likte. Zijn wimpers waren zo lang dat het kleine zwarte waaiertjes leken als hij zijn ogen dichtdeed.

Misschien had ik toen ik vijftien jaar was mijn vader in verlegenheid kunnen brengen door Manuelito's kind te dragen. Maar tegen die tijd hadden zijn vader en ooms en oudere broers hem geleerd wat alle jonge jongens bij hun inwijding werd geleerd: hoe te zorgen dat een vrouw niet zwanger werd. Ik was veilig. Aanbeden voelde ik me. En omdat ik wist dat er zo veel rekening met me werd gehouden, dat iemand zo veel om me gaf, omdat ik wist dat hij op precies het juiste moment zou terugtrekken, ook al hield ik hem stevig vast; omdat ik in mezelf en in mijn reactie op Manuelito zo'n diep vertrouwen en verlangen voelde, werd ik doordrongen van het besef dat ik van nature heilig was, alsof onze liefde een tovercirkel om me vormde die alleen mij onzichtbaar maakte wanneer ik weer naar huis moest.

Manuelito's zachte tong op mijn tepels, zijn lieve woordjes in mijn oor, zijn stevige penis die in mij op en neer bewoog. De schoonheid van zijn bruine lichaam boven me, dat de schaduwrijke, soms behoorlijk koele grot verwarmde. Het licht dat rond de struik, op wacht voor onze deur, naar binnen viel en zich door onze ruimte verspreidde. Al deze beelden sloeg ik in mijn geheugen op voor de tijd, later, dat ik in het Noorden zou zijn. Een bruin meisje, met een vader die predikant was en als bijzondere ervaring dat ze vele jaren van haar leven in de verafgelegen bergen van Mexico had doorgebracht.

Ditmaal wist mijn vader het. Ik vraag me af of hij het

40

andere keren ook had geweten. Want hij gaf blijk van een zekere geraffineerdheid, een vleugje geraffineerd venijn. Misschien had hij opzettelijk gewacht tot we bijna uit de bergen weg waren voordat hij me ter verantwoording riep. Manuelito had me een zilveren riem gegeven, of liever gezegd, een leren riem die bedekt was met kleine zilveren schijfjes. Hij had hem zelf gemaakt. Ik bewaarde hem bij me in bed, onder mijn kussen. En met deze riem strafte mijn vader me.

Dit is geen bijzondere gebeurtenis, weet ik nu. Vaders gaan hun kinderen iedere dag, overal ter wereld op deze manier te lijf. Maar toen wist ik dit niet. Ik wist dat ik wild was, ongehoorzaam, eigenzinnig en koppig. Maar ik begreep dit geweld van hem niet, nadat ik net zo veel genot, zo veel liefelijkheid had ervaren. Als hij het geweten had, als ik het hem had kunnen vertellen, had hij blij voor me moeten zijn, vond ik. Als hij echt van me hield, zoals hij vaak zei. Maar nee, hij sloeg me zwijgend. Ik verdroeg het zwijgend. Ik liet mijn geest het raam uit zweven en op de glinsterende zwarte rug van Vado neerkomen, mijn armen om het sierlijke middel van Manuelito geslagen. We snelden over ons favoriete pad door de bergen, de grasklokjes trillend onder onze voeten. Susannah snikte kennelijk voor ons beiden, op haar knieën voor de slaapkamer, haar oog tegen het sleutelgat gedrukt; mijn moeder achter haar aan het inpakken, met een air van gerechtvaardigde berusting. Ze zei opnieuw dat ze hem zou verlaten wegens zijn halsstarrige gedrag.

Maar ze deed het nooit.

Na het pak slaag was ze enkele weken lief voor mij en afstandelijk tegenover hem. Daarna werd de verhouding gewoon weer gelijk. De atmosfeer in ons huis – het ruime, vierkante huis, met gazon, in Sag Harbor – werd normaal. Hij verhuisde tenslotte naar de grote slaapkamer waar ze 's nachts alleen sliep. Geluiden kwamen er uit die kamer, stemmen, tot diep in de nacht. Binnen een maand, of minder, had mijn vader mijn moeders liefde weer gewonnen.

Maar er was bij dat sleutelgat iets met de lieve kleine Susannah gebeurd. Het was alsof ze door het sleutelgat in onze eenvoudige meisjesslaapkamer had getuurd en onze vriendelijke, meelevende vader in het monster Godzilla had zien veranderen. Nooit zou haar papa haar liefde nog terugkrijgen. Met het verstrijken van de tijd, toen ik begreep hoe ernstig de tak op het moment van haar afgrijzen en ongeloof was verbogen, werd mijn wraak tegenover mijn vader geboren, een wraak zo subtiel dat Susannah pas dertig jaar later zou beseffen hoezeer ze erdoor was geschaad. Mijn vader zou nooit meer de gelegenheid krijgen zijn lievelingsboompje echt te kennen of ervan te genieten.

TWEELING

Susannah is een roman aan het schrijven die haar verhouding met een man na haar huwelijk met de Griek onder de loep neemt. Maar ze heeft moeilijkheden. Ze kan niet over seks schrijven. *Schrijf erover*, krijs ik vanaf de hemelse zijlijn. *Stop die seks er regelrecht in!* Al zijn het maar die copulerende honden die je als vijfjarige uit je raam zag toen we in Mexico woonden; je dacht dat het een tweeling was, dat het betekende dat je een tweeling was als je zo aan elkaar vast zat. Je moeder en ik lachten, en ik herinner me dat ik dacht dat zelfs je kleine verstand schattig was. Of denk aan de giraffen, met hun lange halzen als schoorstenen, die je het jaren later in Afrika zag doen. Je staarde ernaar en begon jezelf koelte toe te wuiven. Je minnaar glimlachte in zichzelf. Die nacht schokte en prikkelde hij je door je van de achterkant binnen te dringen. Ik wil dat ze weet dat het niets bijzonders is! Zoals ik haar daar zie, verkrampt waar ze vrij zou moeten zijn, en na al die jaren nog altijd verbijsterd door de herinnering aan het koppige gezicht van haar zusje en het geluid van de zwiepende zilveren riem. En mijn eigen gezicht, wat las ze daarop, welke boodschap over de gevolgen van een brandende hartstocht en extatische seks?

RITUEEL

Als een man geen al te ernstige misdaad heeft begaan, is het niet onmogelijk zijn vrouw door zijn liefde over te halen hem weer in haar armen te nemen. Dit is zelfs gemakkelijk als ze ziek, moe of in zekere zin zwak is. Toen we de bergen verlieten, was Langley al deze dingen. Mijn gedrag tegenover onze dochters ergerde haar. Mijn veronderstelling dat Susannah zuiver was en Magdalena een slet. Ze had haar vertrouwde huis en vriendenkring in Long Island achtergelaten om onze gezamenlijke antropologische ster naar Mexico te volgen. Daar had ze plichtsgetrouw haar rol als de vrouw van de predikant gespeeld. En zelfs vrolijk in zonde geleefd, nadat ik mezelf tot priester had verheven. Ze had, omdat ze nu eenmaal Langley was, haar taak zelfs overschreden en was een opgewekte, graag geziene gast geworden die invloed had onder de vrouwen van het dorp, met wie ze dierbare vriendschappen sloot terwijl ze ijverig ieder aspect van hun levenswijze te boek stelde.

Haar offer was het isolement dat ze verduurde, ver van haar familie en vrienden, het moeten missen van een dagblad, de *Times*, de afgezonderdheid van onze schitterende wildernis in de ijle lucht waarvan we zo veel hielden.

Mijn eigen berouw over het slaan van mijn kind was

groot. In de eenzaamheid van mijn verbanning – het vervreemd zijn van al mijn meisjes, zowel Langley als June en Susannah – dacht ik na over mijn vergissing. Ik kon er geen rechtvaardiging voor vinden. Ja, het kind was eigenzinnig, ongehoorzaam. Zo was ze geboren. De opvatting dat een kind als een onbeschreven blad ter wereld komt vind ik belachelijk. Toen ze twee jaar was en we het idee van schoenen aan haar voeten uitprobeerden, kwam ze in opstand. Op haar vijfde zei ze voorgoed 'Nee dank je' tegen havermout. Op haar zesde wilde ze een rits in de voorkant van haar broek net zoals ik had. En vervolgens was ze beledigd door de rode lange broek met rits die Langley voor haar gevonden had. In haar kinderogen – maar ingegeven door hoevele vroegere levens als denkend wezen! zouden mijn vrienden, de Mundo-sjamanen misschien zeggen – was hij niet deftig genoeg. Ik droeg tenslotte ook nooit een rode broek.

Ik bad om inzicht. Wie zijn kind liefheeft, spaart de roede niet. Men zegt dit en schuift zijn onmiddellijke bezwaren terzijde, legt de stem die de roede haat het zwijgen op en zou, zonder anderen, zelfs nooit aan de roede hebben gedacht. Ik merkte dat een deel van mij zich door ideeën, opvattingen en voorschriften liet leiden die voor mijn geboorte al in praktijk en op gang waren gebracht. En dit 'deel' was als een innerlijke stem, een stem die mijn eigen intuïtie overschreeuwde en waarnaast mijn eigen stem zwak en onderdanig leek te worden. En toen ik mijn gedachten over die onderdanigheid liet gaan, zag ik mijzelf als iemand die geestelijk gecastreerd was. En ik dacht ook aan de manier waarop Langley, Magdalena en zelfs de alles accepterende Susannah soms naar me keken: met wanhoop en teleurstelling. Papa, schenen de meisjes te vragen, waar is je eigen vonk? Langley leek zich te hebben neergelegd bij het feit dat het ontbrak.

Wat duurde het lang voor ik besefte dat het de *eigenheid* van mij was die ontbrak! Dat ik vergeleken bij de mannen van het Mundo-dorp, zelfs voordat we gemakkelijk met hen konden converseren, een schaduw was. Het kwam niet, zoals ik vroeger dacht, door mijn lange zwarte jas en broek en hoed, die mijn beroep als zielenherder aangaven, nee. Op de een of andere vreemde manier was ik, mijn persoonlijkheid, uitgedoofd. Ik was een man die sprankelende woorden sprak, maar als een automaat mijn eigen leven leefde.

Behalve bij Langley, op onze intiemste ogenblikken. Bij haar, in haar armen, voelde ik me verbonden met de aarde. Ik voelde die verbondenheid vooral als ze lachte, en als ze sliep, in haar naaktheid die alle schijn had laten varen. Ik vond het zelfs heerlijk om haar te horen snurken, hoewel ze zich erg geneerde als ze wakker werd en zag dat ik naar haar tuurde. Dan greep ze een kussen en drukte het op haar hoofd. En ik trok het eraf en stoeide met haar. Haar warme naakte lichaam het vuur van het leven. Haar adem de ademhaling van het leven. En toen ze ziek en moe en zwak was, en als ze huilde van frustratie of zo boos op me was dat ze met stoelen smeet, leek ik zo veel van haar te houden dat ik de stem in mijn hoofd dreigde te vergeten en zelfs de stem vergat die ik als 'de stem van God' was gaan herkennen.

We hadden, al voor ons trouwen, afgesproken onze kinderen nooit te slaan. We geloofden in het corrigeren van gedrag, wat volgens ons door redelijkheid en een consequente houding bereikt kon worden; we geloofden niet in lijfstraf. Dit was zo belangrijk voor ons geweest, dat we het door de jaren heen uitgebreid bespraken, tot Langley vond dat ze veilig een kind ter wereld kon brengen. Toen ik haar oudste dochter sloeg en zelfs zo hard dat ze, door de schijfjes op die vervloekte riem die ik gebruikte, begon te bloeden, had ik haar volkomen verraden.

We werden tijdens de slavernij geslagen! schreeuwde ze huilend alsof haar hart zou breken.

Ze huilde iedere avond en liet me niet binnen in de grote slaapkamer met de gazen gordijnen die slap in de klamme zomerhitte waaiden. En iedere avond, zodra de meisjes sliepen, begaf ik me daarheen, naar haar deur. Op mijn knieën voor de gesloten deur uitte ik mijn smeekbede.

Ik vraag alleen maar vergiffenis, zei ik. Ik verwacht of verdien niets méér.

Huil alsjeblieft niet, zei ik, terwijl ik zelf huilde. Ik ben geen enkele traan waard die uit je mooie ogen rolt.

Houd toch op met je kostbare spulletjes te breken, zei ik. Een kristallen vaas die gedurende ons verblijf in Mexico was opgeslagen – een vaas waar ze dol op was – vloog aan scherven tegen de deur.

Alles in me wilde die deur openbreken, haar zwaaiende armen tegen haar lijf drukken, haar naar het bed slepen, iedere traan oplikken, mij aan haar vochtige lichaam laven en heel mijn wezen in haar uitstorten. Maar ook al brak mijn hart, ik kon niet overeind komen. Ze had me in een monster zien veranderen; hoe kon ik ooit verwachten dat ze dat zou vergeten? Ik viel daar in slaap, terwijl ik stijver en kouder werd naarmate de nacht verstreek.

's Morgens opende ze de deur – haar gezicht gerimpeld als dat van een oude vrouw en vlekkerig van de tranen – haalde haar neus voor me op alsof ik een onaangename hoop vuil was en stapte behoedzaam om mijn koude, bleke, geel wordende voeten heen.

―――

Dit nachtelijk ritueel scheen eeuwig voort te duren. Overdag noemde ik June June. Ik nam Susannah en haar mee naar de YWCA waar ze zwommen en wandkleedjes van macramé maakten. Ik nam ze mee uit winkelen. Ik ging met ze naar Montauk, waar een oude vriend van me het allerlaatste huis had voor het eiland afliep in de zee. In het niet bestaande verkeer daar leerde ik June auto rijden.

In gedachten verzonken probeerde ik me mijn leven zonder Langley voor te stellen. Ik kon het niet. Want zonder Langley gebeurde alles alleen maar werktuiglijk en liet ik me leiden door de dwingende stem in mijn oor, de leegte in mijn ziel. Zonder haar was er geen warmte, geen vuur. Geen opstand van mijn eigen engel om van te genieten. Geen verrassing.

Ze raakte zo verzwakt door haar verdriet dat ze struikelde als ze 's morgens over me heen stapte. Ze at bijna niets. Met mij was het hetzelfde. Ik denk dat we allebei koorts hadden, want onze nachtelijke inspanningen eisten hun tol.

Ik smeekte haar om mij voor haar te laten zorgen. Ze

lachte, een hatelijke lach. En ze zwaaide met haar haar, dat ze sinds onze terugkeer uit Mexico had laten ontkrullen en knippen. Met haar donkerrode zijden pyjama en met dons bedekte muiltjes aan, was ze een andere vrouw – wat ik verbazingwekkend en haast ondraaglijk opwindend vond. Ze was ook colleges culturele antropologie gaan volgen aan de plaatselijke universiteit. Het maakte me gek niet met haar te vrijen en, onder het vrijen, haar nieuwe gedachten te horen.

Ik besloot te leren golfen.

Het werkte niet. Ik hield niet van de pet, het wagentje, de ballen. En had ik niet ergens gehoord dat de green giftig was door de chemicaliën die gebruikt werden om hem groen te houden?

Op een ochtend kwam ze haar kamer niet uit. Ik had inmiddels mijn matras uit mijn kamer gesleept en daar sliep ik op, vlak naast haar deur. Na een half uur gewacht te hebben, ging ik naar binnen. De deur zat niet op slot. Ze kon niet uit bed komen. Toen ik dit zag, voelde ik – het valt haast niet te beschrijven – ik kan alleen maar zeggen dat ik de moeder in me in tot volle wasdom voelde komen, klaar voor de taak die voor me lag. Van het ene op het andere ogenblik was ik overal tegelijk in de kamer bezig voor Langley te zorgen; ik verschoonde de lakens, opende de ramen, schikte de gordijnen, raapte de kranten en boeken van de vloer op. Daarna ging ik naar de keuken, maakte soep, perste sinaasappels uit en roosterde boterhammen. En stuurde de kinderen naar buiten. Toen ging ik terug, sloeg Langley gade terwijl ze at, stopte haar in en liep naar mijn kamer om me aan te kleden.

Overdag hield ik een oogje op haar en bracht haar eten. Ik ging naar de winkel om te halen waar ze trek in zei te hebben, de vader in me genietend van de bedrijvigheid van deze uitstapjes! En 's avonds haalde ik alle grammofoonplaten te voorschijn die we in de kelder van haar ouders hadden opgeslagen voordat we naar Mexico gingen, de platen waarbij we gedanst hadden voordat de stem in mijn hoofd het van me won, en ik stak een kaars aan, eentje maar omdat het zo warm was; Langley was nu weer de vrouw geworden die ik kende. Door de warmte waren de ondeugende krulletjes in haar haar teruggekeerd, de zijden pyjama was bedorven door transpiratie en ze wist niet waar de muiltjes waren, en ze was toch liever naakt.

En nu wachtte ik. Ik wachtte tot ik in Langley's bruine ogen – ogen die soms kastanjebruin leken – zou zien of ze me nog wilde, die oude man, die zondaar, dat dier, dat beest dat ik was. Of ze zich herinnerde hoe het voelde om met me samen te zijn. Neergedrukt op het bed door mij. Of zelf bovenop. Dacht ze eraan hoe ik smaakte, heel lekker volgens haar, of herinnerde ze zich het gevoel van mijn mond op haar lichaam, mijn tong net zo gretig en enthousiast als die van een spaniël? Herinnerde ze zich dat vrijen tijdens warme nachten nog prettiger was, omdat onze lichamen aan elkaar kleefden en er meer rumoer en glibberigheid was en allerlei vocht om op te slorpen. En herinnerde ze zich dat ik onder het vrijen, als ze zich helemaal aan me overgaf, tegen haar zei: Schatje ik hou van je, en Schatje ik hou van je is het meest erotische dat ik ken?

Naakt, met kroeshaar, heldere ogen en bijna helemaal

beter, begon ze me aandachtig te bekijken. Ik voelde het onmiddellijk. Ze deed het als ik mijn rug naar haar had gekeerd, op weg naar de keuken, als ik de deur uitging naar de winkel, als ik me bukte om de lepel op te rapen die ze had laten vallen. De lepel die ze lang en veelbetekenend had afgelikt met haar snel herstellende tong.

Ze betrapte me erop dat ik keek en ze lachte. Je bent een tongfetisjist, zei ze.

GRATIE

Als je te weten wilt komen hoe je iemands liefde terug kunt winnen, hoef je alleen maar de gelegenheid gehad te hebben die ander jarenlang lief te hebben.

Een sterfgeval in de familie? Een prachtige kans! Zo was het tenminste met ons, en met de dood van haar broertje Jocko. Waarom hij Jocko heette, de bijnaam voor een atleet, scheen niemand te weten, want hij deed niet aan sport. Als kind verbeeldde hij zich dat hij Zorro was, de mysterieuze gemaskerde man uit het westen van Mexico. Volgens Langley naaide hij een cape en een masker voor zichzelf en had hij ook een grote zwarte hoed op die hij ver over zijn bijna verborgen ogen trok. Hij droeg een lasso. Hij reed op een schitterend paard dat hij in het leven riep met het geluid van trappelende hoeven.

Daar kwam hij dan aan, zei Langley, steigerend en hinnikend.

En botste hij tegen dingen aan? vroeg ik.

Nooit, zei ze. Zijn paard was goed getraind. En dit hield hij vol tot hij naar kostschool ging bijna. Ze zweeg even. Ik vraag me af wie hij daar geworden is.

Ja, zei ik. Wie zou Zorro op kostschool worden.

En, voegde ze er peinzend aan toe, hoe moest hij het kabaal van zijn paard onderdrukken?

Jocko kwam ons eenmaal in de bergen opzoeken. Hij was lang en dun, met kortgeknipt haar en een mooie neus. Hij glimlachte gemakkelijk en vaak alsof hij binnenpretjes had. Maar hij was vaag over zijn leven. Het enige dat hij ons vertelde was dat hij 'achter de schermen' in Hollywood werkte. Stunts deed, kapperswerk deed, wat dan ook deed. Hij reed in een chique auto, zwart en glimmend, en droeg overwegend zwarte kleren, op een paar zilveren laarzen na.

Bij zijn begrafenis huilde Langley en hield mijn hand stevig vast. Ze had herinneringen die in de kerk opeens allemaal bovenkwamen, zei ze; herinneringen dat ze de geliefde jonkvrouw in nood was die steeds opnieuw door Zorro gered werd. En hoewel hij nooit aanbood om met haar te trouwen, zoals haar andere broer vaak deed, die Tom Mix speelde, bood hij haar zijn vriendschap aan, wat in haar ogen iets veel blijvenders en definitievers was, omdat het van hem kwam en hij er zo zwierig uitzag met zijn cape.

Natuurlijk, fluisterde ze door haar tranen heen, met een vleugje van het zuidelijke accent dat in haar stem sloop als ze verdrietig was, moest hij me eerst in gevaar brengen om me te kunnen redden. Nu huilde ze tranen met tuiten. Luid snikkend sprak ze verder. Hoe vaak hij me niet ergens, vastgebonden en met een prop in mijn mond, heeft laten liggen waar niemand me ooit zou zoeken! God, het is een wonder dat ik het niet ben die dood is.

Begrafenissen zijn een mooie gelegenheid om je allengs verder te bekwamen in je rol van beschermer. De schouder om op te leunen, het oor om in te fluisteren; de kalmerende hand om vast te houden. Ze geven je de gelegenheid je vrouw kalm en onverstoorbaar ter zijde te staan. Ontvankelijk voor haar gezucht en gekreun. En van het graf naar het bed is niet zo ver als je zou denken.

Jocko liet alleen zijn as achter om begraven te worden en aan Langley liet hij de zilveren laarzen na, die haar perfect pasten. In een ervan had hij een briefje achtergelaten: Fantasie was de werkelijkheid van mijn leven. Dank je dat je dit plezier met me hebt gedeeld. Toen ze met zijn laarzen aan het briefje las en door de slaapkamer stapte, terwijl ze de laarzen aan haar voeten voelde en het briefje in haar hand hield, en toen ik haar een glas wijn had gegeven, de ventilator had aangedaan en haar uit haar kleren had geholpen, stond Langley natuurlijk al gauw in haar slipje voor me.

Haar ogen waren rood van de tranen. Doordat ze haar neus zo vaak had afgeveegd was hij opgezet; haar neusgaten opengesperd. Haar zorgvuldig gekapte haar stond nu alle kanten uit, als de stekels aan een roos. Er was ook het besef dat haar poeder vol strepen zat. Ze had haar lippenstift eraf gegeten. En in de warmte rook ze niet meer zo fris als toen ze van huis was gegaan.

O, haar lievelingsbroer was dood en had haar verlaten! Gestamp van laarzen. Een slok witte wijn. Haal die rozen weg, ze kan de aanblik niet verdragen. Waar is het badzout? O, ze ziet er vreselijk uit. Als een heks. Kijk toch eens naar die ladder in haar kous! O, de dood. Ze zal zelf ook gauw dood zijn!

Maar gelukkig voor mij ben ik er om van dit trauma getuige te zijn, en zo hoort het ook. Ik ben er om te zeggen: ach, het is maar een klein laddertje. En ik zal de rozen buiten de deur zetten en je badzout staat waar het altijd staat, naast de badkuip. En ik zal een bad voor je maken. En hier is een schaaltje zwarte vijgen, ik weet dat je daar dol op bent. En kan ik nog wat wijn voor je inschenken?

En intussen word ik volkomen verleid door de aanblik van mijn verfomfaaide, bijna naakte vrouw, het slipje nu voorzichtig tot op haar knieën geschoven. En daarna door mijn volledig naakte vrouw die, naakt, opnieuw de zilveren laarzen pakt die ze in een vlaag van wanhoop had uitgeschopt. Ze trekt ze aan. Kijkt naar zichzelf, kijkt naar mij, in de spiegel tegenover het bed, kijkt naar het bed. Naar mij. Naar zichzelf, naakt met de zilveren laarzen aan.

Ik ben nog steeds helemaal aangekleed. Ik weet hoe voortreffelijk ik eruitzie in mijn kostuum. Tijdens dit hele gebeuren heb ik niet eens mijn das losgeknoopt. Ik ken deze vrouw goed. Naakt zijn terwijl ik piekfijn ben aangekleed maakt haar natter dan een duik in een visvijver. Ze zal nu warm, zweterig aanvoelen. Als ze naar me toe komt, zich om me heen strengelt, langs mijn been wrijft, zal ze me met haar slijm bedekken. Ik voel een rilling bij de gedachte eraan.

Als je vele jaren samen bent geweest, leer je te wachten. Je wilt dat het slijm er is, zodat het voelt alsof de zon in je buik schijnt, als je haar daar aanraakt.

Hoe heet je vandaag? vraagt ze, terwijl ze naar me toe komt en me aandachtig opneemt.

Vandaag heet ik... zeg ik, en ik kijk haar recht aan en voel de zon in me opkomen, een klein beetje angstig maar dat ik het verkeerde antwoord zal geven... vandaag heet ik *echtgenoot*.

Heel even is ze volkomen stil. Ik weid uit: Ik ben Langley's echtgenoot die reuze geboft heeft. Ik ben de man die voor haar zorgt. Ze glimlacht, vlijt zich in mijn armen en legt haar hoofd op mijn borst. Wees maar gerust, dat is het juiste antwoord, zegt ze zacht, met een schorre zucht. En mijn hart springt open en overspoelt haar als de zee, zo warm als een kus.

Ik begin heel langzaam de achterkant van haar hoofd te strelen, waar de haartjes bijna als elastiek om mijn vingers krullen. Ik laat mijn vingers zachtjes omlaag glijden langs de holte van haar rug tot in de spleet van haar achterste. Ik druk haar tegen me aan.

Jocko is er niet meer, mompelt ze.

Ik kus haar lippen, licht, een kinderzoentje, als ze dit zegt. Ik kus haar bosjesvrouwneus. Mijn handen omvatten nu haar bosjesvrouwbillen. Ik blijf lang in haar hals dralen. Wrijf met mijn oren langs de hare.

Opeens snuift ze. Wijkt achteruit. Ik heb geloof ik een bad nodig, zegt ze om te zien hoe ik zal reageren. Goed, zeg ik, zonder me te verroeren. Zonder haar los te laten. Ze begrijpt het, zucht, ontspant zich. Ik buig me voorover en adem haar in, mijn penis nu een begerig hondje tegen haar benen. Over haar glooiende borsten en stijve zwarte tepels dwaal ik, de tijd volkomen stilgezet; en als ik mijn vingers in de opening steek waar het leven begint, sta ik versteld van het levensvocht dat ik er vind. Ik ben zo dol op die geur dat ik mijn hele hand erin wentel en het in mijn haar smeer.

Op dat ogenblik neemt ze, als in haar schoot getroffen en haar gezicht letterlijk verwrongen van begeerte, mijn verhitte gezicht in haar handen en trekt mijn hoofd naar zich toe. Ze opent haar mond en steekt haar tong tussen mijn tanden, duwt hard, meedogenloos. Ze zoent me zo hard en zo lang dat ik achterover op het bed val, mijn knieën slap. Met haar ene hand houdt ze mijn nek vast, met haar andere lijkt ze de kleren van mijn lichaam te plukken. En als ze ziet hoe gezwollen ik ben, gaat ze prompt op me zitten en neukt me huilend. Dit is voor Jocko, zegt ze, met een bedroefde heftigheid. Met de zilveren laarzen nog aan, schopt ze de lakens weg.

Als een nieuw mens kwam ze opgewekt naar het bed terug waarin ze me had achtergelaten. Een kan sinaasappelsap onder haar ene arm, geroosterd brood en gebakken eieren op een blauw bord in haar andere hand. Terwijl we het eten naar binnen schrokten – ze was op weg naar haar lessen – vertelde ze me over de blauweregen die voor de tweede keer bloeide, precies waar hij boven het latwerk uit groeide en onze deur overwelfde. Ze had gedacht dat blauweregens maar een keer per jaar bloeiden, en nu bloeide deze voor de tweede maal. Vlak na de dood van haar broer. Ze glimlachte vluchtig bij de gedachte aan Jocko. Kauwde op haar ei.

En was ik echt zo stevig geneukt dat ik besloten had voorgoed in bed te blijven?

Grijnzend kuste ze me op mijn voorhoofd, trok een lelijk gezicht toen ze mijn haar rook en veegde de broodkruimels van mijn kin. Merkte op dat we maar boften dat ik alleen op zondag hoefde te werken en liep toen naar de deur, haar lichaam zo vloeiend als de hemelse gratie.

Er is niets met papa aan de hand, hoorde ik haar, in een roes, twee dagen later tegen de meisjes zeggen. Hij ligt in bed de bijbel te lezen.

CENTIMETERS

Tegen de tijd dat ik de meisjes weer eens goed bekeek, leek het of ze naar alle kanten centimeters waren gegroeid. Alsof ze teruggrepen op een verwantschap met een onbekende amazone uit hun voorgeslacht, waren beide meisjes nu zo lang dat ze op ons hoofd neerkeken. Het was een situatie die ik niet verwacht had en die me soms verbaasde en in verwarring bracht. Vooral June scheen er een pervers plezier aan te beleven voedsel naar binnen te schrokken en wat ze aan het eten was, ondanks mijn geprotesteer, ver boven het bereik van mijn hand te kunnen houden.

Twintig kussen

De Griek vraagt zich af wat er met zijn huwelijk is gebeurd. Hij vraagt het zich af omdat hij Whitney Houston hoort zingen. Ze belooft voorgoed van iemand te zullen houden. Ja, maar niet van die vent, had Susannah gezegd. Hij zit op een boot op de Ionische Zee in de buurt van het eiland Skidiza waar hij is geboren. De zee is onvoorstelbaar blauw, zoals in de folders staat. Hoewel ze vandaag groen lijkt. In een bepaald licht is ze turkoois. Hij herinnert zich mijn dochter om de vreemdste redenen. Een ervan is, dat ze hem zo veel over zichzelf heeft geleerd, over zijn geschiedenis, cultuur, erfgoed. Ze heeft hem geleerd er belangstelling voor te hebben. Hij had gemeend dat het iets was waarmee hij moest afrekenen, waarvan hij zich in de Nieuwe Wereld moest ontdoen, als overtollige bagage. Net als hij op het punt stond iets weg te gooien – brokaten kussenovertrekken met kwastjes eraan, gemaakt door een verre grootmoeder, of een doffe, verkleurde, kromme zilveren lepel waarmee hij als baby had gegeten – zei ze: Nee, wacht. Laat me eens voelen. Laat me eens kijken. Hij had een kist vol oude rommel van toen hij nog klein was. Zelfs de kist leek grotesk in Amerika. Zwaar en van hout, en blijkbaar door een lompe hand vervaardigd. Maar zij zag de schoonheid ervan. Om ervoor te zorgen dat hij hem niet weggooide, kocht ze de kist van hem. Ze gaf hem een dollar en twintig kussen. Kussen die ze spaarzaam uitdeelde na iedere onenigheid, iedere ruzie.

Zij was het die gezegd had 'de Ouden'. Wie? had hij gevraagd. En ze had gelachen, terwijl ze aan een handvol van zijn weerbarstige lokken trok. De Ouden hadden geen woord voor blauw gehad – daarom waren ze dom, volgens hem – en dus beschreven ze de Egeïsche en misschien ook wel de Ionische zee als karmozijn. Paars. Rood, als donker bloed.

En dus dacht hij aan haar, terwijl de boot de zonsondergang tegemoet voer en het water wijn werd, en terwijl hij olie smeerde op de rug van het aankomend filmsterretje dat hij achterna had gelopen sinds hij haar tofoeburgers had zien bakken in een restaurant in Brentwood, helemaal aan de andere kant van Noord-Amerika.

Susannah had ernaar verlangd Griekenland, en Skidiza, te bezoeken. Ze waren op een vrijdag uit New York vertrokken en op zondag in zijn dorp aangekomen, net toen zijn ouders uit de kerk terugkwamen. Het was alsof ze een andere wereld waren binnengestapt.

Hij voelde zich opgelaten omdat het huis van zijn ouders zo ouderwets was. Hij geneerde zich voor de geulen in de weg die ernaar toe voerde, het stof op de binnenplaats, het gebarsten leem van de gewitte muren. Het haast menselijke geblaat van de geiten, het gebalk van de oude (een echte Oude, schertste hij) ezel. Zijn vaders ruwe handen, zijn moeders dikte. Susannah scheen geen van deze dingen te bespeuren en maakte in plaats daarvan een opmerking over de hartelijkheid van zijn moeders glimlach, de liefdevolle omhelzing van zijn vader toen hij zijn zoon eindelijk weer in zijn armen sloot. Over de manier waarop de witte muren het gouden gras en de rijen olijfbomen bekroonden.

Het eten was verrukkelijk zoals het altijd was geweest. Geroosterd lamsvlees, een salade van tomaten, knoflook, komkommers en olijven. Het verse brood smolt op hun tong. Petros vertaalde voor hen. Ze wilden weten hoe oud Susannah was. Een vrouw van in de veertig die er zo jong uitzag! Dat was echt Amerika! Wat voor familie ze had. Of er broers en zusjes waren. Of ze allemaal nog leefden. Aan welke ziekten de baby's in Amerika doodgingen. Petros was verbaasd dat zijn moeder deze vraag stelde. Ze vertelde vervolgens aan Susannah, die voorover leunde in haar stoel zodat ze zijn moeders hand kon aanraken, dat drie van haar eigen kinderen kort na hun geboorte waren gestorven. Aan een verkoudheid of koorts of hoest die niet overging. Zijn moeder veegde haar tranen af terwijl ze zich hun dood herinnerde. Zijn vader keek bedroefd en maakte een hulpeloze indruk, alsof de sterfte pas gisteren had plaatsgevonden. Niemand had Petros over zijn gestorven broertjes en zusjes verteld, en als ze dat wel hadden gedaan, was de betekenis ervan niet tot hem doorgedrongen. Nu keek zijn moeder hem lief aan, met een blik die aanvoelde alsof ze hem met haar ogen knuffelde. Petros en zijn broer Anand, die altijd voor andere mensen wil zorgen en beter priester had kunnen worden, zijn de enige kinderen die God ons heeft laten houden, zei ze, terwijl ze haar hoofd enigszins boog en een kruisje sloeg.

Hij was Susannah dankbaar dat ze hen aan het praten had gekregen – twee stugge oude Grieken met zwarte kleren aan (zoals ze er voor haar, een Amerikaanse, moesten uitzien, meende hij); hij had haar lief omdat ze bij hem was en gevoelig was. Hij kon haast niet geloven hoeveel geluk hij had gehad: hij was als een arme jongen naar Amerika vertrokken en had een welopgevoede vrouw uit de middenstand gevonden die van Griekenland hield en oprecht was. Het leek on-Amerikaans, de belangstelling die Susannah voor zijn ouders en zijn cultuur had. Nee, als hij aan Amerika dacht, het echte Amerika, dan dacht hij aan afstandelijkheid. Hij dacht in ieder geval aan blauwe ogen. En toch zat hij hier met zijn vrouw die een donkere huid had, haar grote bruine ogen even expressief als de zijne. Dat hij zich tot haar, die een donkerder zusje van hem had kunnen zijn, voelde aangetrokken, was een raadsel dat hem enigszins irriteerde.

Hij herinnerde zich een bepaalde dag, het was misschien zelfs de avond van hun aankomst; buiten op de binnenplaats, die langzaam verkoelde na de warmte van de dag, de zonnebloemen in de hoeken knikkebollend als slaperige oude mannetjes. Ze zaten om een houten tafel, dezelfde tafel waarin hij aan de zijkant zijn naam en die van Anand had gekrast toen ze nog klein waren, op de dag dat Anand had gezworen dat hij Griekenland nooit zou verlaten en hij had gezworen dat hij er zo gauw mogelijk vandoor zou gaan. Susannah dronk voor het eerst van haar leven ouzo, met tranende ogen, en knabbelde op een olijf die zijn moeder zelf had ingemaakt. Kijk! fluisterde ze met nadruk tegen hem. Kijk toch! Ze had haar blik omlaag gericht en wees naar de tafel. Moest hij naar de bruine broden kijken, met hun zachte witte uiteinden; of naar de donkere olijven in een oud blauw aardewerken schaaltje dat hij zich herinnerde van toen hij nog klein was? Bedoelde ze de twee stoffige groene flessen wijn? De tuinbonen, zwemmend in de olie? Bedoelde ze: kijk naar de perziken, die, inderdaad, volmaakt hemels roken? Bedoelde ze: bekijk de pruimen, weelderig en donker als godinnen? Maar nee, ze bedoelde – en ze gaf er een rukje aan – kijk naar het tafelkleed!

Het tafelzeil met de zwarte achtergrond en de witte, rode en roze koolrozen, waarop al het verrukkelijke eten stond. Vergeet dit niet, fluisterde ze. Dit tafelkleed. *Het is een teken.* Daarna maakte ze lachend het gebaar dat ze haar mond dichtritste – een gebaar, een teken van hen samen, dat ze een geheimpje hadden – en ze moesten er luid om giechelen, terwijl ze, uitgeput van de lange vliegreis, de ouzo naar hun hoofd voelden stijgen, en de oudjes geamuseerd en een beetje geschrokken toekeken.

Maar toch was dit het begin van het einde. Ook al gleden ze diezelfde avond, in de kleine witte slaapkamer naast de kamer van zijn ouders, het kamertje dat hij als kind had gehad, met hun stevig dichtgeritste lippen, even geruisloos als twee slangen in elkaars armen. Kussen was geen spreken en daarom niet verboden. Nadat hij zich aan het voeteneind van het bed op de grond had laten glijden, haar in stilte dankend dat ze van zijn ouders hield en hen niet grotesk vond, zoals hij had gevreesd, nam hij haar kleine bruine voet in zijn grote bleke hand en kuste de zool ervan. Hij maakte geen enkel geluid terwijl hij, moe en een beetje dronken op de grond naast het bed zittend, met zijn dikke snor allebei haar voeten streelde, op en neer, op en neer. Het bed schudde van haar gelach, maar ook zij maakte geen geluid. Ze voelde hoe ze vanbinnen warm werd, begon te tintelen, en ze dacht: Alle spelletjes leiden tot dit moment.

Door de muur hoorden ze de oudjes woelen. Ze hoorden hen zuchten, beginnen te snurken. Ondertussen was hij weer in bed geklommen en lag boven op haar, was in haar, dronk haar geur van citroengras en kruidnagelen in. Hij rustte licht op haar, zijn penis een roede, een tak van de olijfboom, nee, de olijfboom zelf, waarvan ze zo graag de olijven at. De oerboom die heel Griekenland van voedsel voorzag. Bewoog in haar, begeleid door het gesnurk van zijn ouders.

Lang en heerlijk speelden ze, terwijl ze werelden verbonden die zelden een glimp van elkaar opvingen en dan nog meestal in reisfolders; continenten even vreemd voor elkaar als de maan. Vreemder, want de maan kon tenminste gezien worden. Culturen alleen verbonden door de hartelijkheid van een moeders oogopslag, de open blik van een nieuwe dochter. De kus van een minnaar. Hij voelde haar orgasme komen. Het trilde, als de wind, om zijn boom. En toen het naar beneden woei, richtte hij zijn stam op om het te begroeten, terwijl zijn onbelemmerde mond – met zijn wilde snor als een bladerkrans – in stilte al wijder en voller haar mond omvatte.

Hij had gedacht dat ze die nacht misschien zwanger zou worden. Hij had de stellige indruk dat ze zich in de omarming van de natuur bevonden. En hij had zeker het gevoel dat hij iets in mijn dochter had geplant dat zou blijven groeien. Wanneer ze precies was teleurgesteld, toen ze zo welwillend had gereageerd op hem, op de vriendelijkheid van zijn ouders, het verrukkelijke eten en de brandende drank, het kale, verbleekte tafelzeil en het kleine witte kamertje zelf, kon hij niet ontdekken. En toch had ze zich, die gewijde nacht, tenslotte van hem afgekeerd en was in slaap gevallen. Bevredigd, maar onvoorstelbaar leeg.

De reden waarom je verliefd werd

Ze was nieuwsgierig. Een vrouw die alles graag wilde weten. Dat was zo Amerikaans van haar. Ze vroeg zich af waarom zo vele van de oude vrouwen zwart droegen. Waarom ze eerbiedig opzij stapten als er mannen passeerden. Wat was die gelatenheid die hun vreugde kenmerkte?

Ze zag dat de leider van ons land met een lange blonde vrouw uit het Middenwesten van Amerika was getrouwd. En dat alle vrouwtjes van zijn afgevaardigden hun eigen donkere haar een paar tinten lichter hadden gemaakt. Ze stelde me vragen over het doden van de overspelige vrouw in *Zorba de Griek*. Vertelde Kazanstakis de waarheid? En zo ja, gebeurden zulke dingen nog steeds?

Terwijl ze gestaag voortging, zag ik dat er een verandering in mijn moeders uitdrukking kwam. Heel vreemd. Want ik had haar gezicht nooit anders gekend dan een dat maar een beperkt aantal emoties kon tonen. Ik herkende de blikken niet waarmee ze mijn nieuwsgierige vrouw begon te bezien.

Ik zag dat mijn moeder, tegen haar zin, als uit een oude slaap begon te ontwaken. Zich wakker schudde, zoals een dier na een winterslaap. Ik zag dat ze haar herinneringen uit hun sluimer wekte. Ik zag dat ze zichzelf in ogenschouw nam, als voor het eerst sinds haar kinderjaren, meer dan zestig jaar geleden, en alle zwarte kleren zag die haar omhulden, en de hoofddoek, zwart, die onder haar kin was vastgeknoopt ondanks de hevige Griekse warmte. Ik zag dat ze bang was voor wat er met haar zou kunnen gebeuren, als gevolg van Susannah's nieuwsgierige vragen. En dat haar oplossing hiervoor was Susannah ertoe te bewegen een toeriste te worden.

Ga naar de kerk, kraste ze, terwijl ze ons naar de weg trok. Neem Susannah mee naar onze mooie plekjes en maak maar een toer voor haar, zei ze met een verbeten grijns zodat haar versleten gouden tand te zien was.

Ze had een woordspeling gemaakt zonder het te beseffen. Susannah en ik glimlachten terwijl ik het grapje aan mijn moeder uitlegde, die wanhopig keek. Het was een blik die ons aan het lachen maakte, hoewel we tegelijkertijd hoopten dat ons gegiechel niet neerbuigend klonk.

De zon was warm. Hij leek zelfs warmer dan toen ik klein was. De stenen waren zo heet dat het stof eraf waaide bij een geringe aanraking van de voet. Ik pakte Susannah's hand. Ze was helemaal in het wit gekleed; haar haar hoog opgemaakt in een dikke gedraaide vlecht waardoor haar lengte en haar elegante, glijdende loop benadrukt werd. In Griekenland voelde ik me niet te klein voor haar. Mannen in Griekenland waren vaak klein en er was iets in onze psyche – Susannah zei dat het misschien een oude herinnering aan de goden en godinnen was – dat bewondering voor statige vrouwen had. Ik voelde me alleen maar trots dat ik met haar op straat liep.

―――――

En dus gingen ze het kleine witte kerkje binnen, het heiligdom van Sint-Joris de Goede, met de kleine bruine maagd aan zijn voeten, en waren getuige van een ritueel dat Petros sinds zijn kinderjaren niet meer had gezien en waaraan hij zelfs nooit meer had gedacht: de dorpsvrouwen die de kerk binnenkwamen, hun sjaals over hun hoofd trokken en in stilte baden terwijl ze naar het grote standbeeld van Sint-Joris liepen, maar vervolgens heimelijk de voeten van de kleine maagd kusten nadat ze zich op hun knieën hadden geworpen. Kijk, zei mijn opmerkzame dochter en ze stootte haar echtgenoot aan, terwijl ze toekeken met hoeveel verering de vrouwen dit deden. Kijk. Kijk. *Dat* is de reden waarom je verliefd op me bent geworden! (en ze bedoelde dat de vrouwen de voeten van de bruine maagd kusten).

In de kerk ook kwamen ze de dwerg tegen.

OGEN

Eerst herinnerde ik me haar echt niet, hoewel ik haar mijn hele jeugd iedere zondag had gezien. Ze hoorde bij de kerk. Ze woonde er in feite.

Ik voelde dat Susannah me aanstootte toen de oude vrouwen uit hun geknielde houding overeind kwamen, hun wasachtige witte lelies in de vaas zetten die voor hen was achtergelaten, een kruisje sloegen, hun hoofddoek in orde brachten en achterwaarts de kerk uit liepen. Ik dacht dat ze me wilde vragen waarom ze achteruitliepen, een blijk van respect voor de maagd, begreep ik nu, hoewel ik als kind had gedacht dat het eerbied voor Sint-Joris was. Maar nee, ze gebaarde met haar hoofd naar het begin van de sacristie, waar een heel kleine vrouw, die met het topje van haar grijzende hoofd maar net boven de kansel uitkwam, al begonnen was het stof weg te vegen dat met de gelovigen, toeristen en andere doelloze reizigers naar binnen was gewaaid.

Ze heet Irene, fluisterde ik tegen Susannah. Daar woont ze. Ze is de kosteres.

Irene scheen mijn gefluister te horen, al wist ze niet wat ik zei, en wierp ons een dreigende, vlammende blik toe.

Haar blik leek Susannah te verzengen. Het was alsof de dwerg en zij een ogenblik van herkenning deelden.

Wat ik als een dreigende blik had opgevat, was eigenlijk, zoals Susannah later zei, elkaar diep in de ogen kijken. Een ontmoeting. En waarom gebeurde dat? wilde Susannah, de Amerikaanse, natuurlijk weten. Waarom keek een bejaarde Griekse dwerg haar zo doordringend aan? En hoe zat het met de ogen van al die andere gepassioneerd kijkende Griekse vrouwen om haar heen. Nu ze erover nadacht, kon ze heel goed begrijpen waarom het woord passie ook lijden betekende. Zo veel vrouwen leken, als ze glimlachten, door hun tranen heen te lachen. Je zag het in hun ogen, zei Susannah, die zich hardop afvroeg of de vrouwen zelf zich wel bewust waren van dit oude, onuitwisbare verdriet.

Ze wilde aan de dwerg voorgesteld worden. Ik legde uit dat dit onmogelijk was. Dat eigenlijk niemand tegen Irene sprak. Susannah was verbijsterd. Hoe kan dat? vroeg ze, met wijd open ogen. En natuurlijk sprak ze geen Engels, voegde ik eraan toe.

O, mompelde mijn vrouw, die leek te verschrompelen en op de een of andere manier werkelijk kleiner leek te worden. O, zei ze, alsof ze het tegen niemand in het bijzonder had, alsof ze haar woorden eigenlijk in de warme droge wind strooide. O, maar ze heeft ogen, zei ze tenslotte. En met deze woorden draaide ze zich uitdagend om en wierp een blik over haar schouder, terwijl we wegliepen. Maar de dwerg was nergens te bekennen.

HET PARADIJS

Na mijn ervaring in de kleine, koele kerk waar ik de gloeiende blik van Irene had opgevangen, liepen Petros en ik naar buiten en begonnen we de heuvel te beklimmen die zich erachter verhief. Als kind had hij daar met Anand gespeeld; als jongeman had hij er met meisjes tussen de stenen gewandeld. In die tijd, de jaren vijftig, en als je een vriendinnetje had, was de zonsondergang voor hen heel vaak de grootste belevenis van de week.

Zijn moeder had me naar de kerk gestuurd – tegenwoordig meer dan wat ook een bezienswaardigheid voor toeristen – om af te zijn van de vragen over vrouwen die ik haar stelde. Ze voelde zich erdoor in verlegenheid gebracht. En toch was zij er verantwoordelijk voor dat ik met Irene in aanraking kwam. Maar Petros waarschuwde me dat ik tegenover zijn moeder met geen woord over haar moest reppen. Dat ze ongetwijfeld vergeten was dat Irene er zou zijn en dat ik nieuwsgierig zou worden. Zijn moeder, zei hij, zou mijn vragen met een schouderophalen beantwoorden; ze zou niets te zeggen hebben.

En jij? vroeg ik, wat heb jij te zeggen?

Alleen wat de oude verhalen ons vertellen, zei hij, mijn hand vasthoudend terwijl we over het smalle pad liepen. Irenes moeder was verkracht. Haar vader en broers verkozen dit niet te geloven. Ze werd geslagen. Niemand sprak ooit nog tegen haar. Toen Irene geboren werd, stierf haar moeder. Irene was een dwerg. Gods straf voor haar moeders zonde. Ze werd op heel jonge leeftijd als dienstbode aan de kerk geschonken.

Petros wees naar beneden, naar de kerk, die in de verte haast een miniatuur leek. Opzij ervan, *daar*, op een apart plekje, ligt haar moeder begraven. Zie je de bloemen op haar graf? Het zijn altijd dezelfde lelies die de oude vrouwen meebrengen.

Die in de kerk waren? vroeg ik.

Ja, zei hij.

Niemand weet hoe of wanneer Irene erachter is gekomen dat die plek haar moeders graf is. Niemand mocht het haar vertellen, net zoals niemand met haar mag praten. Maar op de een of andere manier heeft ze het al die jaren geweten.

Ik zal tegen haar zeggen dat ik het ook weet, zei ik.

Petros glimlachte tegen me. Ho! zei hij, terwijl hij een Amerikaanse cowboy nadeed, zijn lievelingsheld in Amerika. Zij weet het. Ze hoeft niet te weten dat jij het weet. Wees geen bemoeizieke Amerikaanse.

Begon ik me op me dat moment van Petros te verwijderen? Plotseling had ik het gevoel dat ik niet meer aanwezig was in het Griekse landschap waar we vol bewondering doorheen wandelden. Zelfs de gedachte aan het tafelzeil, dat identiek was aan het zeil dat mijn grootouders in het zuiden hadden gehad – en waarvan ik een klein vierkantje had ingelijst en aan de muur van mijn studentenkamer had gehangen – kon me niet terugbrengen. We bleven staan kijken toen Irene uit de achterdeur van de kerk stapte, haar armen vol witte lelies.

Ze deed me denken aan een schilderij van Diego Rivera; haar korte, stevige gestalte, helemaal in het zwart, bijna aan het gezicht onttrokken. Terwijl ze zich naar het verste gedeelte van het kerkhof begaf en toen nog een stukje verder, tot ze bij een plek kwam die verlaten leek, vergeleken bij de gewone graven overal, met hun witte glanzende zerken. Daar, in een grote urn, stonden de oude bloemen die ze er met een vlugge beweging uit haalde. Daarna zette ze, behoedzaam, kritisch zelfs leek het, ook van zo ver, de lelies een voor een in de vaas. Toen ze daarmee klaar was, verdween ze om de hoek van de kerk en kwam weer te voorschijn met een emmer water. Nadat ze het water tussen de bloemen had gegoten, deed ze een stap achteruit, sloeg een kruisje en liep achterwaarts weg.

We bleven kijken terwijl ze haar eigen kleine kamertje achter de kerk in ging, en ik hoorde Petros zuchten, misschien bij de gedachte aan haar eenzaamheid, toen we zagen dat de luiken dichtgingen – maar niet voordat we, vlak voor ze helemaal dichtsloegen, nog een glimp hadden opgevangen van iets dat verdacht veel leek op helder rode gordijnen binnen.

Hoe zag het leven van deze vrouw eruit? Deze vrouwelijke dwerg? Hoe kon men haar zo straffen voor wat ze was? Voor het feit dat ze haar moeders kind was? Dat ze bestond? En wie had haar als klein kindje in de armen gehouden? Als jong meisje getroost? Wie had haar geleerd voor haar moeder en voor de kerk te zorgen?

Het is afschuwelijk! zei ik geagiteerd tegen Petros toen we naar huis liepen. Naar de bonen, rijst, salade en lamsstoofpot van zijn moeder.

Je hebt gelijk, zei hij bedroefd. En met een plotselinge woede voegde hij er stampvoetend aan toe: Ik haat het hier.

Maar het was het paradijs.

NATUURLIJK

Natuurlijk spreek ik Engels, zei Irene, die een scherp
ruikende Gauloise zat te roken. Sloffen Camel, Kool en
Lucky Strike lagen opgestapeld tegen de achterwand van
haar kamer. Ik spreek ook Duits, Italiaans, Spaans en
Japans. En ook Latijn, maar er is niemand meer om het
mee te spreken.

Susannah was blij dat ze uit principe haast nooit naar
mannen luisterde. Eigenlijk haast nooit een woord geloofde van wat ze zeiden. Hoeveel ze ook van hen mocht
houden.

Mijn man dacht, begon ze... maar hoe moest ze de zin
afmaken. Hij bleef in de lucht hangen, tussen hen in.
Petros had waarschijnlijk gedacht, besefte ze nu, dat
Irene helemaal niet kon praten, omdat niemand met
haar mocht spreken.

Mannen, zei Irene met een schouderophalen. Ik zie ze
haast nooit. Alleen hun vrouwen, mensen zoals jij, zei
ze en ze knikte even, zijn nieuwsgierig.

Maar waarom zijn we nieuwsgierig? dacht Susannah,
terwijl Irene verder praatte, met de Gauloise bungelend
tussen haar volle, wijnrood geverfde lippen en een rim-
pel in haar voorhoofd, terwijl ze aan een borduursel
werkte dat op een tafelkleed leek en allebei haar knieën
bedekte.

Vroeger, niet zo heel lang geleden, werden vrouwen hier gestenigd, zei Irene in de stilte. Heeft je man je dat verteld? Dat vertellen de mannen aan elkaar, weet je, en ze fluisteren het in de oren van buitenlandse mannen, als ze de kans krijgen met elkaar te praten. Ha, en vrouwen denken dat ze willen weten waar mannen het over hebben! zei Irene spottend. Je kunt ervan op aan dat ze een flink aantal gestenigd hebben, voor ze hun beroemde 'democratie' in dit gebied kregen. Vanuit mijn raam kan ik een van de stenigingszuilen zien. Ze zeggen dat zelfs honderd jaar geleden de onderkant ervan nog roze was van het bloed.

Susannah stond op van haar kussen bij de deur en keek in de richting waarin Irene wees. Daar, heel in de verte, naar de zee toe, en ivoorwit glanzend tegen de achtergrond van het koningsblauw, ja, daar stond een soort paal.

Het gebeurt vandaag de dag nog, vaker dan de meeste westerlingen zouden denken, zei Susannah zuchtend. En in sommige culturen wordt de grootte en de vorm van de stenen die gebruikt moeten worden in hun religieuze boeken beschreven. Sommige hebben een grootte en vorm die geschikt is om haar neus te breken, andere om haar schedel te splijten. Er hadden de laatste tijd veel stenigingen in Saoedi-Arabië en Iran plaatsgevonden; enkele moedige vrouwen en mannen hadden hun leven op het spel gezet en de wereld erover verteld.

Irene trok een lelijk gezicht. Ze zat ook op een kussen. Haar kussen was kastanjebruin, dat van Susannah groen. Het was een verbazingwekkende kamer. Iedere centimeter ervan, de muren, het plafond, de vloer, was bedekt met borduurwerk. Je had het gevoel dat je heel klein was, niet groter dan een vlieg misschien, en je op het lijfje van een heel kleurrijke, ouderwetse Griekse bruidsjurk bevond.

Ik vind het erg indrukwekkend, dat je zo veel talen kent, zei Susannah.

Ik ben bijna zeventig, zei Irene. Ik ga nooit weg. Wat valt er verder voor me te doen dan me op de hoogte stellen van alles wat er in de wereld omgaat? En daarvoor hoefde ik alleen maar de talen van andere mensen te leren en, als ik televisie keek, te leren wat er op hun vermoeide gezichten te lezen stond.

Susannah keek even naar de grote televisie die in de hoek van de kamer stond. Heb je een schotelantenne? vroeg ze.

Natuurlijk, zei Irene. Hier vandaan kan ik alles zien; ik kan zelfs in het hart van de hedendaagse Diana kijken. Ze trok een scheef gezicht. Prinses Di. Ik zie wat voor een rommeltje ze van haar leven heeft gemaakt, maar ook dat ze erg haar best doet de betekenis van haar naam eer aan te doen. Haar naam is een reddingsvlot, ze hoeft het alleen maar te grijpen. Irene haalde haar schouders op. Wat zou de godin naar wie ze genoemd is van haar denken? Ze trok aan een draad die uit haar borduurwerk stak en brak hem tussen haar tanden. Ze lachte abrupt. Het klonk bijna als een geblaf.

Maar een prinses zijn moet hetzelfde hebben geleken als een godin zijn, zei Susannah nadenkend. Ze voelde genegenheid voor Diana, wier bedroefde of stralende gezicht, in Noord-Amerika, altijd op het omslag van sensatieblaadjes bij supermarktkassa's prijkte, waar je ook was.

In haar verkeringstijd, ja, zei Irene. Ze was zo jong. En hij, haar toekomstige echtgenoot, was tenslotte een prins.

Hmm, zei Susannah. Ik weet nog wanneer ik het voor het eerst begreep, van heiligen en godinnen. Het verschil, bedoel ik. Heiligen zijn te nobel om echt te zijn en godinnen willen met alle geweld magisch én echt zijn. Juist omdat ze zowel goed als slecht zijn en er bij hen alles mogelijk is, zijn het godinnen.

Diana was een jageres, zei Irene peinzend. Ze wist er alles van hoe ze moest krijgen wat ze wilde; maar als godin behield ze de vrijheid zich te ontdoen van wat haar niet beviel. Een gewone prinses heeft daar moeite mee. Ze bromde even. En als laatste redmiddel, toen de godin Diana niet aan de begerige klauwen van een god kon ontkomen die haar door het bos achternazat, veranderde ze zich in een boom. In hout. Is dat niet wat veel vrouwen doen?

De avond viel, de middag was warm en droog geweest. Irene serveerde thee met verse muntblaadjes erin en uitgeschonken over geschaafd ijs.

Susannah zat onderuitgezakt op haar groene kussen dat ze van de deur had weggetrokken; ze leunde nu met haar rug tegen Irenes kleine houten bed.

Er zijn ook prachtige video's, zei Irene. Maar het beste van alles zijn de tv-series. Die zijn in alle landen de beste manier om een taal te leren.

Nee toch? zei Susannah die van haar thee nipte.

Ja toch, zei Irene, die Susannah's toon na-aapte, maar met haar eigen accent, dat Susannah weer grappig vond.

Maar waarom komen vrouwen naar je toe? vroeg Susannah. En wat nog belangrijker is, waarom laat je ze binnen?

Persoonlijk, zei de dwerg, terwijl ze naar haar ronde

borst wees, denk ik dat ze aangetrokken worden door mijn rode gordijnen.

Ik in ieder geval wel, zei Susannah glimlachend.

Waarom verbaast het je dat ik, zelfs ik, het verlangen heb om te leven? zei Irene. Een vrouw die alleen woont. Een kleine vrouw. Een heel kleine vrouw. In een kamer achter een witte kerk. Een heel witte kerk, omdat ik hem elk jaar wit. In een kamer met rode gordijnen.

Die beschrijving op zich is al intrigerend, dat moet je toegeven! zei Susannah lachend.

En toch was Petros niet geïntrigeerd geweest. Hij had niet eens belangstelling getoond.

Het is een dwerg, ze woont alleen. Ze heeft er vrede mee. Laat haar met rust. Irenes lot had hem verdrietig gestemd, dacht Irene nu, zonder dat hij het werkelijk besefte.

Waarom ga je nooit weg? vroeg ze.

Vroeger, toen ik jong was, was het verboden. Ik werd geslagen als ik wegging. Teruggesleurd. Ik kon ook nergens naar toe. Mijn moeder was dood. Niemand wilde me.

Het is moeilijk om tegenover iemand te zitten en je voor te stellen dat die persoon niet gewenst was. De waarheid van Irenes woorden, bewezen door het leven dat ze leidde, deed Susannah, die het nog steeds niet helemaal kon bevatten, verdriet. Zij was in een gezin geboren dat haar gewenst had en van haar hield. Maar zij had, zelfs al kind al, op de een of andere manier in zichzelf het vermogen ontdekt anderen af te wijzen en ze had dat vermogen gebruikt om haar vader buiten te sluiten.

Terwijl Irene rookte en aan haar borduursel werkte,

wat een tafelkleed was dat ze aan toeristen zou verkopen, dwaalden Susannah's gedachten af. Ze zag haar
vader glimlachend naar haar toe komen, een handvol
gomballen met groene-appelsmaak in zijn uitgestoken
hand. Hij had de andere smaken er zorgvuldig uit gehaald , omdat hij wist dat ze het meest van groene-appel
hield. Daar lagen de snoepjes, glanzend en vers, in zijn
grote geelbruine handpalm. Ze waren bij een dorpswin-
kel gestopt terwijl ze door Texas reden, op weg naar huis
vanaf Mexico. Toen moest hij de snoepjes hebben gekocht.

Ze voelde haar hand naar de snoepjes gaan en voelde
hoe haar ogen zijn glimlach beantwoorden. En toen,
precies op het moment voordat ze de snoepjes zou pakken, hoorde ze June, Mad Dog, Magdalena kuchen. Ze
hoorde haar zeggen, hoewel haar vader haar nog niets
had gevraagd: Nee, ik hoef niet. En Susannah's hand was
op haar schoot blijven liggen en ze had haar ogen neergeslagen. Ze hoorde de teleurstelling in haar vaders stem:
Nou, goed dan. En ze hoorde dat hij zich omdraaide, voor
de auto om liep en instapte. Ze had zo'n trek in die
gomballen gehad! Maar Junes gekuch had het onmogelijk voor haar gemaakt de snoepjes aan te nemen. Opnieuw voelde ze zich naar dat sleutelgat gaan. Opnieuw
zag ze haar vader in een man veranderen die ze niet
kende.

Vanaf de achterbank, terwijl haar moeder en June sliepen, had ze haar vaders achterhoofd bestudeerd. De manier waarop zijn haar, vlak boven zijn hals, golfde, ook al
was het heel kort geknipt. De manier waarop zijn oren
uitstaken. Haar vader en zij hadden altijd een verhouding

gehad die door aanraking hechter werd. Vroeger, voordat ze zag hoe hij June strafte, zou ze haar hand hebben uitgestoken en haar vingers over de golvende ribbeltjes van zijn haar hebben laten gaan, en met zijn grappige uitstaande oren hebben gespeeld. Nu voelde ze zich niet in staat haar hand op te tillen. Hoewel hij vlak voor haar zat, leek het alsof hij ver weg was. Pas nu, als een vrouw van middelbare leeftijd, die thee dronk met een bejaarde Griekse dwerg, op een warme avond op een eilandje midden in een donkerrode zee, vroeg ze zich af wat haar vader gedacht moest hebben.

FAMILIE

Die avond, in bed met Petros, lag Susannah te woelen en te draaien. Petros dacht dat hij haar rusteloosheid kon verminderen door met haar te vrijen, maar ze begeerde hem niet. De volgende dag vroeg ze of hij haar wilde vergezellen op een wandeling die hen naar de rotsen zou brengen die uitzicht boden op het strand. Inschikkelijk, zoals hij bijna altijd was, zei hij meteen ja. Ze vertrokken, toen het buiten wat koeler werd, en bereikten niet lang daarna de stenigingszuil die Irene vanuit haar kamer kon zien. Hij was van marmer gemaakt en stond scheef. Een groot metalen bord met een advertentie voor Coca-Cola was tegen het voetstuk gezet. Een kant ervan was over de hele lengte met Griekse graffiti beklad.

Hier werden vroeger vrouwen gestenigd, zei ze tegen Petros.

Ach welnee! zei hij, terwijl hij haar geschrokken aankeek. Waarom zeg je zoiets?

Vrouwen worden gestenigd, weet je. Zelfs tegenwoordig. Ze zei dit kalm, hoewel ze voelde dat ze zich distantieerde van de realiteit van wat ze beschreef.

Het gezicht van haar man was donker geworden. Ze voelde dat hij afstandelijker werd. Waarom moet je altijd aan zulke dingen denken? zei hij tegen haar. En om me dít te laten zien heb je me helemaal hier mee naar toe

genomen? Hij was boos, omdat hij wist dat er nu minstens een paar nachten en misschien zelfs wel tot het
eind van hun verblijf geen seks zou zijn. En hij hield er
zo van om met haar in zijn kinderbed te vrijen. Het kind
dat hij geweest was leek op de een of andere manier nog
altijd in die kamer aanwezig, neerkijkend op hen terwijl
ze de liefde bedreven, een fantasie die werkelijkheid was
geworden.

Ze vertelde hem niet dat Irene haar had verteld over de
stenigingszuil. Ze vertelde hem niets van wat er tussen
Irene en haar plaatsvond. Iedere dag wandelde ze gewoon
naar de kerk, liep achterom en klopte op Irenes zwarte
deur.

Toen ze de volgende dag bij de kerk kwam, vroeg ze
zich af of Irene haar had gemist. Waarschijnlijk niet,
dacht ze. Irene zou eraan gewend zijn dat toeristen kwamen opdagen, misschien een paar dagen achter elkaar of
zelfs een week of langer, maar dan abrupt verdwenen als
hun boot of vliegtuig vertrok. De deur stond een stukje
open om een licht briesje binnen te laten, aangezogen
door een elektrische ventilator die langzaam heen en
weer draaide, alsof hij de hoeken van de kamer aftastte.

Kom binnen, zei Irene.

Ze zat op het groene kussen en keek aandachtig naar
de kaarten die ze op de grond had uitgespreid. Susannah
bleef een ogenblik naast haar staan en keek naar beneden,
naar de uitgestalde kaarten. Het was een tarotspel dat ze
niet kende. Helemaal in rood, blauw en wit uitgevoerd.

De kleuren van onze vlag, zei ze, terwijl ze op het
kastanjebruine kussen tegenover Irene plaatsnam.

Ja, zei Irene. Vreemd, hè? Ik heb het gekregen van een

vrouw uit Turkije, die het in Spanje, geloof ik dat ze zei, heeft gevonden. Het is een zigeunerspel. Ik denk niet dat de kaarten vroeger zo gewoontjes waren. Ze gooide een kaart neer waarop een plaatje stond van een dreigend kijkende vrouw met twee enorme zwaarden in haar handen. Oeps, zei ze, tijd om met illusies te kappen.

Is dat de betekenis ervan, denk je? vroeg Susannah, met de gretigheid die ze als kind had gehad. Ze was dol op alles wat geheimzinnig, onopgelost, nog niet zonneklaar was.

Irene keek haar aan en glimlachte terwijl ze achter zich tastte om een pakje Camel te pakken.

Dat betekent het altijd, zei ze kortaf. Ik zal de kaart voor je leggen, als je wilt.

O, leuk, zei Susannah, die haar kussen dichterbij trok terwijl Irene de kaarten schudde. Dit was lastig voor haar want de kaarten waren groot en haar handen heel klein. Maar omdat ze jaren ervaring had was ze er heel handig in. Ze lagen al gauw uitgespreid in een vorm die op een kruis leek. De kaart met tijd-om-met-illusies-te-kappen lag duidelijk zichtbaar precies in het midden.

Je bent op zoek naar je eigen lichaam, zei Irene. Niet zozeer je eigen geest, niet nu althans, of je hart. Maar naar je eigen huid, de manier waarop die glanst, straalt, ruikt, het licht absorbeert. Het lijkt nu alsof je een damp, een wolk, een nevel omvat. Je bent in feite iemand die haar lichaam lang geleden verlaten heeft, toen je nog heel jong was. Daarom heb je zo'n elegante, statige loop. Je bent eigenlijk een standbeeld.

O, god, zei Susannah, die altijd complimenten had ontvangen over de manier waarop ze liep. Je loopt niet gebogen zoals de meeste lange meisjes, had men tegen haar gezegd. Je loopt als een koningin.

Irene raapte een kaart op met een man en een vrouw die in een ouderwets rijtuig stapten. De hand van de man ondersteunde de elleboog van de vrouw. Ze legde de kaart naast haar neus en deed voorzichtig, had Susannah de indruk, haar ogen dicht. Zo bleef ze een ogenblik diep in gedachten zitten.

Weet je waarom het idee van 'dames gaan voor' bestaat? vroeg Irene. Omdat we ervandoor zouden gaan, als we vroeger achter een man mochten lopen. Als ze ons voorop lieten gaan, konden ze ons in de gaten houden. Later, toen we gedweeër werden, vonden ze het een vervelende gedachte dat een vrouw die ze begeerden er alleen maar aan dacht om ervandoor te gaan en dus kwamen ze met ridderlijkheid, hoffelijkheid op de proppen. Dames over plassen tillen, in rijtuigen helpen.

Ja, zei Susannah, maar wat betekent die kaart nog meer?

Je hebt een man in je, je eigen inwendige man, zogezegd, die vastbesloten is jou te helpen. Hij tilt je in het rijtuig van je eigen lichaam, waarin je de leiding kunt nemen over je eigen leven.

Wie zou dat kunnen zijn? dacht Susannah. Niet Petros?

Het is niet iemand waaraan je zou denken, zei Irene, alsof ze haar gedachten had gehoord. Bovendien is het een inwendige man, een deel van jezelf. Maar er is ook een uitwendige man, die deze inwendige helper te voorschijn roept.

Nee toch, zei Susannah.

Ja toch, zei Irene, die haar spottend na-aapte.

Ik zie hier, zei Irene, terwijl ze een kaart vasthield met een vrouw erop die de maan bereed, dat je ver weg bent geweest. Je bent eigenlijk verdwaald geweest. In zekere zin vond je het prettig om verdwaald te zijn. Als je verdwaald bent, wil dat zeggen dat niemand je kan vinden. Als niemand je kan vinden, hoef je niet aan verwachtingen te voldoen. Dan ben je, in één woord, vrij. Dat betekent verdwaald zijn soms. Maar nu is het alsof je jezelf terugroept. Susannah, Susannah, kom terug, kom naar huis. Irene grinnikte. En een klein kindvrouwtje, ver weg, die geloof ik in een grote boom zit, hoort het geroep en denkt: misschien is het tijd om terug te gaan.

――――

Op dat ogenblik had ik de dwerg wel een zoen kunnen geven! Maar het enige dat me lukte was een windstoot die de ventilator omblies. De kaarten vlogen alle kanten op. Susannah riep uit: Wat was dat! En Irene haalde haar schouders op, nam een trekje van haar sigaret en zei: De wind. Misschien is de wind familie van je.

Ik zag mijn dochter terugsjokken naar de familie van haar man en een eenvoudige maaltijd met hen eten, terwijl haar peinzende blik op het gezicht van de oude man en zijn vrouw bleef rusten. Haar schoonmoeder was niet blij dat ze zo veel tijd bij Irene doorbracht. Hoewel ze wist dat ze de dwerg bijna iedere dag bezocht, had ze nog geen enkele vraag over haar gesteld. De oude man was nieuwsgieriger. Hij had geruchten gehoord.

Is het waar dat ze een zwarte kat heeft? vroeg hij aan Susannah, terwijl ze met het laatste plakje tomaat op haar bord speelde.

Ik heb, eerlijk gezegd, geen kat gezien, zei ze.

En maakt ze een brouwsel van bittere kruiden dat ze anderen als geneesmiddel probeert aan te smeren?

Nee, zei Susannah lachend. Ze maakt en schenkt alleen thee.

En kan ze haar geest op de stroom van de nachtlucht laten reizen?

Nee, zei Susannah, ze heeft satelliettelevisie. Ze heeft ook een computer.

RIJKDOM

Mijn vader was rijk, zei Irene, toen ze de volgende keer met elkaar praatten. Niet zo rijk als Onassis, maar rijk genoeg om deze kerk voor me te kopen om in te werken en te wonen.

Dus je kende hem, zei Susannah.

Op zo'n klein eiland, zei Irene, haar sigaret van haar lip bungelend terwijl ze een vis schoonmaakte, logisch dat ik hem uiteindelijk zou leren kennen. Het was een grote, gemene, nors kijkende man. Ik kan me wel indenken wat hij dacht toen hij zag dat ik een dwerg was. Zoals je ziet, komen dwergen niet veel voor in deze streek. Ze komen nergens meer veel voor.

O, zei Susannah, denk je dan dat er ooit meer van jullie waren?

We waren een stam, natuurlijk, zei Irene. Net als de pygmeeën in Afrika. Irene hield op met het afschrapen van de zijkanten van de vis en keek dromerig in de verte. Van alle mensen op aarde, voel ik me het meest verbonden met de pygmeeën, en de zigeuners natuurlijk.

Waarom de zigeuners? vroeg Susannah, die een handvol pistachenootjes begon te eten die Irene haar had aangereikt.

Hun leven verschilt zo radicaal van het mijne, zei Irene. Zij gaan overal naar toe. Het maakt niet uit waar.

Ze vormen nog altijd een stam. Iedere poging om hen in een kooitje te stoppen heeft gefaald. Ik geloof dat ze meer van de aarde houden dan wie ook, ze willen er altijd meer van zien.

Niet altijd vrijwillig, zei Susannah kauwend. Ze worden vreselijk vervolgd om hun onwrikbare antiburgerlijke gedrag! Het meest lijken ze van muziek te houden.

Ah, ja, muziek. Dat is nog een reden waarom ik van ze houd. En hun verering van de donkere moeder, die niemand anders is dan het menselijke symbool voor de donkere aarde.

Of een verre herinnering aan de aardgodin van de pygmeeën, zei Susannah. Heb je toevallig zigeunermuziek? vroeg ze.

Irene trok een gezicht alsof ze wilde zeggen: houd een aap van nootjes?

Vanonder het bed haalde Irene een ouderwetse grammofoon en een stapel platen die vijftig jaar oud bleken te zijn. Niet lang daarna weergalmde het kamertje van de jankende zigeunerviolen en de heftige, emotionele weeklachten van zigeunermannen en -vrouwen.

Zuchtend zei Irene: Waarom kunnen we zo veel houden van wat ons alleen maar aan het huilen maakt?

Susannah dacht maar heel even na en toen zei ze met zekerheid: Omdat het juist dát is wat ons de weg naar ons hart wijst.

Ja, zei Irene, terwijl ze een traan uit haar ooghoek veegde. Ik weet dat je heel gauw naar huis moet, maar ik wil je iets zeggen.

Wat dan? vroeg Irene.

Je bent een toerist op wie ik erg gesteld ben.

Welvaren

Toen Petros en mijn dochter van Skidiza vertrokken, dacht hij dat hij haar liefde weer had gewonnen. Terwijl ze aanstalten maakten het huis van zijn ouders te verlaten, keek hij met tederheid naar zijn kinderbed. Hij stond voor zijn ouders, met zijn hand onder Susannah's elleboog, en keek hen kalm aan. Hij was met niets naar Amerika vertrokken en had het geluk gehad met Susannah, een bemiddelde vrouw, te trouwen, werk te vinden dat hij prettig vond en een goed leven op te bouwen. Alle politieke, culturele en historische krachten die het leven van zijn vrouw hadden gevormd, bleven een raadsel voor zijn ouders; ze mochten haar gewoon omdat ze welgemanierd was en eerbied had voor hun ouderdom. Ze vonden het prettig dat ze hun omgeving en hun eten waardeerde. Wat Susannah betreft, zij had niets gezegd over de Burgeroorlog of burgerrechten, net zoals zijn moeder, besefte hij, niets had gezegd over het van oudsher ontbreken van vrouwenrechten in Griekenland of over het stenigen en doodsteken van vrouwen, dat ze zich nog levendig moest herinneren uit haar jeugd; het recht dat de mannen in de familie hadden om de vrouwen te doden als ze hen op de een of andere manier 'onteerden'. Ze gingen oppervlakkig met elkaar om, maar in zeker opzicht ook vanuit het diepst van hun hart. Hij,

Petros, was wat hen verbond.

Zijn ouders waren verbaasd geweest dat hij er zo goed uitzag. Zo knap en gezond. Dat hij zo moeiteloos Engels sprak. Susannah wist precies wat ze deed, vonden ze.

En toch was Susannah roerloos blijven staan, toen hij haar elleboog vastpakte. Ze had niet gereageerd door hem even aan te stoten; hij had haar lichaam niet voelen trillen omdat ze uit saamhorigheid zachtjes giechelde, terwijl zijn ouders zijn geluk prezen, of zelfs maar een zweem van verdriet om hun vertrek bespeurd. Hij meende dat zijn geboorteplaats, zijn dorp, zijn vaderland een droevige plaats voor haar was. Dat ze diep teleurgesteld was en om die reden van hem vervreemd was. Hij gaf de dwerg de schuld ervan. Geen wonder dat ze haar dwongen achter de kerk te blijven, dacht hij onvriendelijk.

Ik ben heel dik, dat is waar. En binnen een jaar zal ik dood zijn omdat mijn hart eenvoudig onder de last zal bezwijken van al het bloed dat door zo veel gewicht moet worden gepompt. Ik geef les aan een grote universiteit in het oosten, waar mijn studenten me soms vast en zeker als Aunt Jemima vermomd als Punk Dyke zien, wanneer ik de collegezaal kom binnenschommelen met mijn drie gaatjes in mijn neus, mijn groene haar en mijn mollige puddingarmen gevuld met hun werkstukken, voorzien van mijn overvloedige aantekeningen. Omdat ik juist aan deze universiteit les geef word ik als een geslaagd mens beschouwd, en dus maakt het niet uit wat voor kleur mijn haar heeft, hoeveel gaatjes ik heb of hoe dik ik word. Ik was vooral geslaagd in de ogen van mijn vader, die me na de dood van mijn moeder soms liet schrikken wanneer hij als een zwerfkat op mijn stoep zat als ik van de universiteit terugkwam.

Wat wil je? vroeg ik botweg, toen ik hem daar voor het eerst aantrof.

June, June, had hij geantwoord, met een lichte schittering in zijn bedroefde ogen, heb je dan helemaal geen medelijden?

Nee, zei ik. Ben jij soms gekomen om me er wat van te leren?

We voerden nooit een gesprek, mijn vader en ik, we schertsten.

Na verloop van tijd begon ik zijn onverwachte bezoekjes te verwachten. Hij nam me mee naar restaurants, welk restaurant ik maar wilde, waar hij bestelde wat ik maar wilde. En wat ik ook wilde, het moest vooral véél zijn. En ik at en at en at, terwijl hij toekeek hoe de borden en schalen zich voor ons ophoopten tot een gênante stapel. Als hij mij zag eten, leek zijn eigen eetlust altijd te verminderen. En ik raakte ervan overtuigd dat hij bij ieder bezoek zelfs magerder werd.

Hij vond het vooral akelig als ik met twee handen at. En dus ging ik voor hem zitten, met in mijn ene hand een kippenpootje en in mijn andere een plakje rollade, terwijl ik maar wat bromde als antwoord op zijn vragen van die dag.

———

Ben ik hiervoor verantwoordelijk? vroeg hij op een dag. Maar ik deed alsof ik niet begreep wat hij bedoelde en vroeg in plaats daarvan om het lekkere hapje waarop ik mijn oog had laten vallen als dessert: een moorkop.

We spraken nooit over zijn wantrouwen jegens mij. De havikachtige manier waarop hij mij als kind bespiedde. We spraken nooit over mijn grote belangstelling voor ritsen. Hij was vergeten hoe het begonnen was, als hij er tenminste ooit bij stil was blijven staan. Het was zoiets kleins, zoiets triviaals, maar wat had het mijn leven beïnvloed! Ik zei op een keer tegen hem: Weet je nog dat je me ooit, een jaar of zo voordat we naar Mexico gingen, een klein beursje hebt gegeven?

O ja? zei hij. Zijn gezicht klaarde op, misschien door mijn beleefde toon.

Ja, zei ik. Het was klein en rond en zwart, of misschien donkerbruin. Ik kan me de kleur eigenlijk niet herinneren. Ik was een sorbet aan het eten. Een aantal van mijn studenten kwam de ijssalon binnen en ik zwaaide naar hen. Mijn vader keek naar hen en glimlachte op die hoffelijke manier die zwarte mannen van een bepaalde leeftijd zo perfect beheersen. Het deed me soms pijn te erkennen hoe knap mijn vader was. Te beseffen dat heterovrouwen hem adoreerden en homomannen wanhopig met hem dweepten. Omdat ik hem jarenlang bespioneerd had wist ik dat hij een geweldige minnaar was; hij had die ongelooflijk prikkelende nederigheid waardoor mijn moeder het zo heerlijk had gevonden hem op te winden. Als mijn moeder geen zin had, had hij zich er nooit voor gegeneerd om op zijn knieën te gaan liggen. Om te smeken. Smeken, had ik hem eens tegen een andere man horen zeggen, verhoogde de schoonheid van het gezicht van een wanhopige minnaar! Het werkte. Mijn ouders waren het soort geliefden dat bij vrijen niet aan uren maar aan dagen dacht.

Mijn stem werd bitter. Het was een klein rond beursje, ging ik verder, terwijl mijn vader zijn wenkbrauwen fronste omdat hij het zich voor de geest probeerde te halen. En eerst begreep ik niet wat het was. Je lachte om de uitdrukking op mijn gezicht. En toen ving ik een glimp op van iets goudachtigs, iets glanzends. En ik draaide het beursje steeds maar om terwijl ik het dingetje probeerde te vinden dat glitterde in het licht. En tenslotte pakte je het van me af en liet je me zien dat het beursje een verborgen ritsje van goud had!

Mijn vader glimlachte.

En je liet me zien hoe ik het beursje moest openmaken en liep met me mee toen ik het wonder van dat kleine beursje aan moeder en Susannah toonde, die het net zo verbazingwekkend vonden als ik.

Mijn vader glimlachte nog steeds. Maar hij herinnerde zich het cadeautje niet.

Ik zuchtte bij het laatste hapje van mijn ijsje.

En toen, zei ik, vertrokken we naar Mexico. Het leek opeens een gekkenhuis. Eerst waren er al die dozen die ingepakt moesten worden, toen kwamen de verhuizers en toen werden we allemaal in de auto gepropt, en daarna volgde die eindeloze rit, met al die gesprekken van moeder en jou over dat jullie antropoloog waren maar je moest uitgeven voor predikanten. Het was allemaal erg verwarrend. Maar het belangrijke voor mij was, dat ik niet alleen het enige thuis verloor dat ik ooit had gekend, maar dat ik ook ergens in de chaos van het vertrek het kleine rondje beursje had verloren.

Ik wachtte om te zien of hem iets duidelijk was geworden. Mijn vader vroeg de kelner om een kop koffie, zonder cafeïne. Er was niets tot hem doorgedrongen.

Sinds die tijd, zei ik, ben ik gefascineerd door ritsen.

O ja? zei hij en hij glimlachte op die charmante manier van hem.

———

In een van Susannah's romans, het boek dat *Op weg naar huis* heet, vertelt ze het verhaal van een blond Scandinavisch gezin dat op een dag in hun Volvo stapt en naar het zuiden begint te rijden. Ze rijden door Europa, door Nederland, Duitsland, Frankrijk en Spanje, naar Noord-Afrika. En terwijl ze rijden zien ze dat de huidskleur van de mensen donkerder wordt en dat het landschap verandert. Tenslotte komen ze in Centraal-Afrika. Ze rijden verder tot ze het midden van een regenwoud, of misschien het midden van een woestijn bereiken. Ze stappen uit. Er zitten donkerhuidige verwanten om een vuur, die opstaan om hen te begroten. Ze vertellen deze verwanten dat ze helemaal opnieuw willen beginnen.

Toen we naar Mexico verhuisden had ik, voor zover het mijn verhouding met mijn vader betrof, het innerlijk huis verlaten dat mijn vader symboliseerde. Wie was deze man, die zich vermomde als geestelijke? Wie was deze man, die opeens gefixeerd was op het kwaad in mij? Ik wist het niet. En omdat ik het niet wist, was ik altijd bang.

Als mijn vader zich het begin van onze vreemde reis niet kon herinneren, hoe kon ik hem dan vragen helemaal opnieuw te beginnen? Ik droomde voortdurend over onze jaren in Mexico.

GROEN

Het was ongewoon dat June me belde als ze gelukkig was. Het onderwerp dat haar spraakzaamheid het meest prikkelde was haar eigen ellende. Susannah, bracht ze dan hijgend uit, ik heb de vreselijkste pijn in mijn zij, vlak onder mijn linkerborst, die buitengewoon zwaar en klam aanvoelt. Mijn hele lichaam trilt van de warmte, gloeit van de pijn. Ik wendde me af van de minnaar met wie ik me op dat moment bezig hield en liet de hoorn losjes in mijn hand liggen. Hoe kon ze dat lichamelijke leed verdragen, vroeg ik me af, een leed dat ze zichzelf zo zorgvuldig toebracht door haar dwangmatige piercings (er hingen kleine kettinkjes aan haar tepels) en bewust te veel eten. Ik gaapte, terwijl mijn minnaar zacht aan mijn tenen of borsten zoog, en probeerde me een lichaam voor te stellen dat aan dergelijke genoegens gewend was geraakt.

Ik was er niet op voorbereid mijn zusje wulps te horen giechelen. Raad eens? zei ze, haar stem schor van opwinding.

Wat? vroeg ik nieuwsgierig.

Raad eens wie ik in het vliegtuig tegenkwam toen ik na een lezing naar huis vloog?

Wie? vroeg ik. Ik ging overeind zitten en trok mijn tenen terug.

Manuelito.

Er viel een stilte terwijl ik me die persoon, die naam probeerde te herinneren. Manuelito. Over het algemeen herinnerde mijn zusje zich onze jaren in Mexico veel beter dan ik. En toen we naar de Verenigde Staten terugkeerden probeerde ze jarenlang met de mensen die we hadden achtergelaten in contact te komen. Wat natuurlijk niet lukte, omdat ze te ver weg woonden van iets dat op een nederzetting leek.

Manuelito, uit de bergen, zei ze enthousiast. Manuelito, je weet wel, die leuke jongen met dat zwarte paard.

Ik herinnerde me het paard heel goed. Het was een hengst die Vado heette, een woord dat een ondiepe plaats in de rivier betekende, waar je veilig kon oversteken. En nu ging ik rechtop in bed zitten en voelde mijn hart sneller kloppen. Want ik wist instinctief dat dit een naam, een persoon was die de plaats symboliseerde waar mijn zusje vanbinnen gebroken was. Dat de plaats waar zij gebroken was vlak naast de plaats lag waar ik gebroken was. En dat zij dit al die jaren ook had geweten.

Mijn god, zei ik, waar zei je dat je hem bent tegengekomen?

In het vliegtuig, onderweg uit Las Cruces.

Ik wist niet dat je in Las Cruces was.

Ja, zei ze opgewekt, en ik zat bovendien eerste klas, omdat ik nu niet meer in de voordelige stoelen pas.

Er klonk geen zweem van spijt in haar stem. Hoe kon ze dit zeggen, vroeg ik me af, terwijl ik de telefoon van mijn oor af hield en me haar ongelooflijke omvang voorstelde.

Hij zat eerste klas!

Manuelito, in eerste klas? Ik moest lachen. Zijn volk

had in lemen hutjes met een aarden vloer gewoond wanneer ze tenminste niet in grotten woonden. Misschien was hij gangster geworden, dacht ik.

Maar nee. Hij was bij het leger, zei June. De enige van zijn regiment die niet gesneuveld was.

Begin bij het begin, zei ik, terwijl ik een slokje van het sap nam dat mijn minnaar me had gebracht en een kusje in de lucht gaf, in de richting van de deur die nu dichtging.

———

Het begon op het vliegveld, een vliegveld zoals alle andere; dezelfde metaaldetectors, dezelfde rijen mensen die op het stempelen van hun ticket wachtten. Dezelfde bestudeerde nonchalance ten opzichte van het dwaze idee zo ver boven de grond te vliegen. Op een gegeven ogenblik voelde ik dat er iemand naar me keek. En toen voelde ik het niet. En toen, terwijl ik mijn stoelriem vastmaakte, voelde ik het weer. Ik sloeg mijn ogen op en naast onze stoelen stond een forse man met een lichtbruine huid, die zijn blik op mij had gericht en me vagelijk bekend voorkwam. Ook hij leek getroffen door iets dat hem bekend voorkwam. Ik besloot hem te negeren en hij ging zitten, terwijl hij schertsend tegen de stewardess opmerkte dat hij haar gezicht al minstens een maand niet had gezien omdat hij thuis had gezeten met een verkoudheid en te ziek was geweest om te vliegen. Ze glimlachte even beleefd naar hem en vroeg of hij zijn gewone drankje wilde. Dat wilde hij. Tegen de tijd dat we opstegen had hij verscheidene flesjes gin gedronken.

Toen we in de lucht waren, maakte hij zijn stoelriem los en ging naar het toilet. Bij zijn terugkomst ging hij niet zitten maar liep zijn stoel voorbij en wandelde het hele vliegtuig door (ik had me omgedraaid om naar hem te kijken). Op dat moment zag ik dat hij mank liep.

Waar kom je vandaan? vroeg hij, terwijl hij zich weer in zijn stoel liet zakken.

Ik woon aan de Oostkust, zei ik kortaf, waarna ik mijn hoofd in mijn boek begroef.

Wat lees je daar?

Een boek over natuurkunde.

Goed boek? vroeg hij.

Ja, zei ik. Het is geschreven door een Indiase mysticus die in het westen gestudeerd heeft. Hij zegt dat er geen vaste lichamen bestaan, niet eens deze leren stoelen, niet eens dit vliegtuig; alles in het heelal is in beweging. Hij zegt dat zijn volk dit al duizenden jaren weet en geen westerse wetenschap nodig heeft om het te bewijzen.

Ik zweeg. Ik was bang dat ik al te veel had gezegd.

En dat had ik ook.

O, zei hij, als je van lezen houdt... Hij stak zijn hand in zijn diplomatentas en reikte me een boek aan. Mijn boek, zei hij.

Jawel hoor, daar stond hij op het omslag, in uniform, precies zoals hij naast me zat. Op de foto kon ik de littekens beter zien dan wanneer ik hem aankeek. Zijn hele gezicht moest er bijna afgeschoten zijn. Ik kon zijn ogen ook zien.

Ik ben in Viëtnam geweest, zei hij. Alle anderen van mijn regiment zijn gesneuveld. Ze dachten dat ze mij ook hadden afgemaakt, maar ik ben een taaie Indiaan.

Indiaan, dacht ik. Indiaan. Ik was duizelig geworden. Het was alsof er iets via mijn keel uit mijn geheugen probeerde te komen. Ik maakte mijn riem los en hees mezelf uit mijn stoel. Ik wankelde naar het toilet en in het kleine, nauwe hokje gaf ik over in het kleine wasbakje dat niet groter was dan een kopje.

Toen ik terugkwam zat hij weer een flesje gin te lebberen. Daarna stond hij op en strompelde nogmaals het vliegtuig door.

Moet in beweging blijven, zei hij, toen hij ging zitten en bijna in zijn stoel tuimelde. Als ik dat niet doe, worden mijn gewrichten stijf en kan ik ze niet meer buigen.

Wanneer heb je je naam in Mannie veranderd? vroeg ik.

Hij keek verbaasd.

Hé, zei hij, hoe weet je dat ik hem veranderd heb?

Met je Mexicaanse accent, zei ik, en als Indiaan, ben je vast niet bij je geboorte Mannie genoemd.

Hij lachte. Toen ik de grens was overgestoken en bij een wegrestaurantje in Los Alamos ging werken, zei hij.

Ik hield niet van de naam Mannie. Ik begreep wat er met zo'n naam van hem geworden was. Ik pakte zijn boek op en begon de foto's erin te bekijken. Hij staarde naar mijn handen. Ik boog mijn vingers even en tuurde over mijn leesbril naar hem.

O, zei hij. Ik keek alleen maar naar je handen. Je hebt een beetje grappig krom pinkje. Ook al was mijn pink nu zo dik als een worstje, dat beetje kromme was nog steeds te zien. Ik boog mijn pink voor hem. Ik heb ooit een meisje gekend dat zo'n vinger had, zei hij.

Mijn aandacht werd in beslag genomen door een foto

waarop hij een Purple Heart en een eremedaille van het Congres van Ronald Reagan in ontvangst nam. Is dat je gezin? vroeg ik, terwijl ik naar een vrouw met een somber gezicht en welgemanierd uitziende kinderen wees. Ze sloegen de plechtigheid met enige bezorgdheid gade.

Ja, zei hij. Ze hadden me naar het podium gereden, maar ik wilde van man tot man naar de president lopen. Ik ben maar eenmaal gestruikeld. Ik geloof dat ik op Kissingers voet trapte. Mijn vrouw zegt dat ik de president bijna omver duwde, maar ik geloof niet dat dat waar is. Ik herinner me eigenlijk nauwelijks wat er gebeurd is, omdat ik zo mijn best deed op de been te blijven. Het was allemaal heel wazig, alsof je een heuvel beklimt en de top bereikt en dan verblind wordt door het vuur van de vijand. Maar op de een of andere manier klim je weer naar beneden en besef je dat je het gered hebt, alleen heb je er geen idee van wat er gebeurd is of waartoe je in staat bent geweest. Heb ik het er waardig afgebracht? vroeg ik aan mijn gezin. Want ik wilde dat de Mexicaanse mensen, de Indiaanse mensen, trots op me waren.

Hoeveel kogelwonden had je? vroeg ik, terwijl ik aandachtig naar de foto keek waarop hij in het verband gewikkeld in een ziekenhuisbed lag.

De wonden waren niet te tellen omdat ik helemaal kapot geschoten was. Ze hebben me in stukken uit Viëtnam gevlogen. Ik ben met draad weer aan elkaar gemaakt. Daarom moet ik in beweging blijven. Als ik te lang blijf zitten, kan ik niet meer overeind komen.

Ha, zei ik, net als ik.

Hij lachte en de bedwelmende geur van gin sloeg me in het gezicht. Jij zou met een dieet geholpen zijn, zei hij.

In mijn geval is het niet zo eenvoudig.

Gek genoeg heb ik het nooit erg gevonden dat andere mensen me corpulent vinden. Maar nu ik hem erover hoorde praten, was het alsof ik een steek in mijn zij had gekregen. Alsof al mijn zelfvertrouwen weg zou stromen. Ik voelde me moedeloos op de een of andere manier.

Ik ben de grens over gekomen op zoek naar een meisje, zei hij. Ik ben naar dit land gekomen toen ik nog heel jong was. Ik heb een tijdje de kost verdiend met vee drijven. Ik heb in restaurants gewerkt als bordenwasser. Als kok. Ik hield mezelf steeds voor dat ik haar zou vinden. Ik dacht dat ik haar op een dag misschien zomaar tegen het lijf zou lopen. Hij lachte. Ik was echt nog een kind. En ik wist niets van de wereld. Ik wist zeker niet dat dit land zo verdomd groot was.

Ja, het is groot, zei ik.

Het was na een tijdje een verademing om bij het leger te gaan. Ik had nog nooit van Viëtnam gehoord en kranten las ik niet zo vaak. Maar toen werden we opgeleid en voor je het wist zaten we er.

Hoe was het? vroeg ze.

Een hel, zei hij.

En je gezin liet je achter?

Mijn vrouw. Ze was in verwachting. Op die manier kon ik geld naar huis sturen, kon ik voor haar zorgen.

Daar stond Reagan, grijnzend, terwijl hij de held op de rug sloeg. Casper Weinberger, die eruitzag als een geest. Kissinger, die deed alsof hij ontroerd was. 'Mannie', invalide, die naar voren was geschuifeld om zijn medaille in ontvangst te nemen, hopend dat hij zijn gezin en zijn volk niet te schande zou maken.

Ik was gaan huilen.

W'tisser nou? vroeg hij, met dronken stem.

En voor ik hem antwoord kon geven, zat hij te snurken.

———

Lieve Mannie, Manolo, Manuelito,

(schreef ik een week nadat ik was thuisgekomen:) Dit is
Magdalena die je schrijft vanuit het verleden. Hoewel ik
je pas heb gezien; dus is dit niet het verleden. Ik was de
vrouw die naast je zat in het vliegtuig uit Las Cruces. Die
heel dikke vrouw, met de ringetjes in haar neus en een
groene streep in haar haar, die zat te huilen terwijl ze je
boek las. Ik weet dat ik er niet uitzie als jouw Magdalena. Ik ben drie keer zo dik. Mijn groene, recht afgeschoren haar – het beetje dat ervan over is – is platter gedrukt
dan je je ooit zou hebben kunnen voorstellen. Zelfs mijn
neus is tweemaal zo groot als die van haar. Sinds ik thuis
ben, heb ik erover gedacht op dieet te gaan omdat jij het
geopperd hebt. Zal ik verder komen dan dat? Waarschijnlijk niet. Maar jij bent ook mijn Manuelito niet. Je bent
een tinnen man die druk bezig is zijn menselijk gevoel
te verdrinken. Hoeveel mensen heb je gedood, Manuelito? Wie waren het, en hadden ze een gezicht net als dat
van jou? Heb je vrouwen gedood die je aan mij deden
denken, Manuelito? Over deze dingen droom ik de ene
na de andere nacht. Omdat jij en ik, zoals we vroeger
waren, weer bij me zijn, zodra ik mijn ogen dichtdoe.

Lieve Magdalena,

Dit is Manuelito die je schrijft. Denk niet dat ik je niet
herkend heb. Ik zou het kleinste deeltje, zelfs je pink,

van je herkennen, hoe groot het ook was geworden. En hoeveel neusringetjes of groene strepen haar je ook hebt. Maar ik was zelfs voor ik in het vliegtuig stapte al dronken, en tegen de tijd dat ik dacht dat jij het misschien echt was, was ik niet meer bij machte het zeker te weten. Dus koos ik de gemakkelijkste weg en ging slapen. En toen ik wakker werd, was je verdwenen. Hoe heb je dat trouwens gedaan? Je bent weliswaar een forse vrouw, maar door middel van je magische krachten, die ik me van vroeger herinner, had je jezelf volkomen laten verdwijnen. Je was niet op het vliegveld. Ik heb tenminste niet gezien of gevoeld dat je daar was.

Het doet me verdriet dat je me allereerst vraagt naar het doden. Daarom heb ik zo'n hekel aan hippies gekregen. Als ze in de Viëtnamtijd een uniform zagen toonden ze geen enkel respect. Een van hen, een vrouw met lang haar en een opoebrilletje op, heeft eens op me gespuugd. Het was doden of gedood worden in Viëtnam. Ik had maar één gedachte: er levend vandaan komen. Dat is niet helemaal waar. Ik wilde ook zo veel mogelijk van mijn makkers beschermen en redden. President Reagan begreep dat, en meneer Kissinger en meneer Weinberger. Dat dacht ik tenminste. Pas nadat ik mijn onderscheidingen had gekregen, begonnen ze de uitkering voor invalide veteranen stop te zetten en moest ik vele malen naar Washington om iedereen eraan te herinneren dat we onze gezondheid voor hen, voor het Amerikaanse volk, hadden opgeofferd. En hoewel ik met ijzerdraad aan elkaar zit en geen enkel werk kan doen waarbij ik meer dan een paar minuten op een plaats moet blijven, wilden ze me toch weer in een niet bestaand baantje schoppen.

Maar daar gaat het nu niet om. Ik zie op de envelop waar je woont. Ik kan elk ogenblik voor je deur staan.

———

En is hij ook gekomen? vroeg ik mijn zusje.

Ja, zei ze.

En was het fijn?

Wat bedoel je?

Om weer bij hem te zijn, bedoel ik.

Nou, zei ze, hij was niet erg dronken, een beetje maar. We hebben onze eerste middag samen doorgebracht met koffie drinken en wandelen langs de rivier.

Uit haar beschrijving van 'Mannie' kon ik me een voorstelling van hen maken, terwijl ze krakend en schommelend langs de rivier liepen. Ik had daar vaak met haar gewandeld, en met mijn vader, als een van zijn bezoekjes aan haar samenviel met een bezoek van mij. De mensen die hen samen zagen zouden niet weten wat ze van hen moesten denken; ze zouden geen flauw idee hebben.

Ik vroeg of zijn vrouw wist dat hij bij mij op bezoek was, zei June.

Hij zei natuurlijk. Hij was haar altijd trouw geweest, behalve toen hij in Viëtnam zat. En zij hem, behalve in diezelfde periode. Het was een afspraak die ze hadden gemaakt.

Ook al was ze in verwachting toen hij vertrok? vroeg ik.

Ja, zei June. Ze begrepen allebei dat ze niet eeuwig in verwachting zou zijn. En zoals hij was opgevoed, werd hij ook als zwanger beschouwd, weet je nog wel.

Dat is waar, zei ik. Dit was ik vergeten, hoewel mijn vader en moeder notabene een boekje over dit aspect van het leven van de Mundo's hadden geschreven. Dat zwangerschap beschouwd werd als iets dat volkomen gedeeld werd; zozeer zelfs dat de toekomstige vader tijdens de bevalling met weeën in bed lag terwijl al zijn vrienden zich rond hem schaarden om hem steun te verlenen. Soms overstemde het geschreeuw van de vader dat van de moeder.

Het is ook kenmerkend voor zijn opvoeding dat hij niet over mij zou liegen tegenover haar, zei June. God, Susannah, weet je nog dat er vreemdelingen naar het dorp kwamen, die met papa en mama praatten en hun hoofd schudden en zeiden dat de Mundo's even naïef als kinderen waren? Alleen maar omdat ze geen leugens vertelden.

En papa scheen een beetje een slag om zijn arm te houden, maar mama was er rotsvast van overtuigd dat ze volwassener waren dan alle mensen die hen kwamen bestuderen, met inbegrip van papa en haar.

De Mundo's hadden een gezegde: er is maar één leugen voor nodig om de samenhang van de wereld te verbreken. En toen onze vader als predikant sprak en zei dat God had gezegd dat de mens heerschappij over de hele aarde had, hadden de Mundo-mannen verklaard dat dit onmogelijk waar kon zijn. Misschien, hadden ze gezegd, terwijl ze over hun gebaarde kinnen streken, is het die leugen die de samenhang van jullie wereld heeft verbroken.

Terwijl mijn zusje praatte, dacht ik aan de Mundo's, aan wie ik eigenlijk in geen jaren had gedacht. Ze hadden ook nooit begrepen hoe de vrouw als slecht kon worden beschouwd, want zij beschouwden haar als de maïsmoeder. Toen ze over haar eerste zonde hoorden, dat ze van de verboden vrucht had gegeten, krabden ze opnieuw aan hun kin en zeiden, met nog meer ernst, dat het misschien deze allergrootste leugen was die de samenhang van onze wereld had verbroken. De mannen hadden niet gewild dat de vrouwen zelfs maar zouden horen waarvan ze beschuldigd werden; ze probeerden onze vader ervan af te brengen dit vreselijke geheim te onthullen, ook al zei hij dat het waar was. En toen de vrouwen erachter kwamen, waren ze zo gekwetst!

Dat anderen hen als verdorven zouden kunnen beschouwen, was nooit bij hen opgekomen.

Om je de waarheid te zeggen, zei June, vond ik deze Mannie/Manuelito eerst weerzinwekkend. In gedachten zag ik steeds het lichaam van de jongen voor me van wie ik had gehouden. Ik keek steeds maar naar dat aan elkaar genaaide gezicht van hem en hoopte dat het in het vrolijke, intelligente en oneindig vriendelijke gezicht zou oplossen dat ik ooit had gekend. Zijn gezicht was zo vreselijk verwoest, dat zelfs zijn oogleden ongelijkmatig gehecht waren. En toch zouden voorbijgangers, gek genoeg, niet hoeven zien dat er iets mis was. Natuurlijk kijkt niemand echt meer naar een ander, en natuurlijk lijkt niemand echt meer op zichzelf. Ze hebben allemaal hetzelfde permanent, dezelfde gebleekte, halflange lokken, dezelfde eentonige huid. Grote neuzen zijn bijna allemaal in de afvalbak van de chirurg achtergelaten.

Maar het duurde niet lang of er begon iets met me te gebeuren. Ik begon inderdaad mijn eigen mooie Manuelito achter het masker van zijn gehavende gezicht te zien. Dwars door zijn vreselijke oorlogservaring zag ik de vrolijkheid uit zijn ogen stralen, en ik werd erdoor besmet, alsof hij me aanstaarde door een waas van bloed.

Zo veel bloed, zei hij tegen me. Rivieren vol bloed. Enorme stukken grond glibberig van het bloed. Hoe komt het dat jij en ik nog leven? vroeg hij soms opeens, met het zuivere inzicht van wie heel dronken is.

Ik wist het niet. Op een gegeven moment, pakte ik zijn hand. Mijn eigen hand voelde aan als een enorme, rubberachtige poot; die van hem oud en verschrompeld en krom. Mijn dijen wreven tegen elkaar onder het lopen, het geruis van spandex een voortdurende tegendraadse melodie.

Verontschuldiging

Je leven lang verkeer je in de noodzakelijke waan dat je alles van verdriet af weet wat er te weten valt. Het spijt me dat ik je nu moet vertellen over het verdriet dat je na je dood voelt. Daar was ik dan, huiverend op de brug waarover ze liepen. Haar enorme hand liefkozend om de zijne. Iedere draad in zijn verminkte lichaam trillend van de kou. Ik had haar geslagen omdat ze van zijn jonge lichaam had gehouden! Als ik niet al dood was geweest, zou ik zelfmoord hebben gepleegd.

Die avond was ik tot niets in staat. Ik schaamde me zo, dat ik me er niet eens toe kon brengen hen te bespioneren. Ik weet dat ze thuiskwamen, in haar appartement, dat ze een warm bad voor hem maakte in haar reusachtige jacuzzi, dat hij gehoorzaam zijn uniform uittrok en zijn pijnlijke lichaam in de hopen sneeuwwit schuim vlijde. Bij de voordeur liet ik beschaamd mijn hoofd hangen, of wat ooit een hoofd was geweest. Hoe kon ik het weer goedmaken? Er kwam een studente bij mijn dochter aan de deur om haar met werk lastig te vallen. Ik stelde me op tussen haar en de deur. Ze klopte en klopte maar op mijn borst, het geluid verstomd door de ruimte die mijn levenloze lichaam nu was. Toen ze wegging, liet ik me op mijn knieën vallen en begon, als een luchtstroom, mijn verontschuldiging zachtjes omhoog en over de rand van Junes gesloten deur te blazen.

Wat ervan over is doet het eigenlijk niet meer, zei Manuelito. Die gekke Congs hebben het er zowat afgeschoten.

Het spijt me, zei ik.

Hij lachte opeens. Wie had ooit kunnen denken dat het zo met ons zou aflopen, hè Magdalena?

Ach, ik weet het niet, zei ik, terwijl ik mijn been optilde door de plooien van mijn laag uitgesneden, zijden nachtpon; ik vind dat sommige delen van ons er nog vrij goed uitzien. Zodra Manuelito uit de badkuip was gekomen en ik hem had afgedroogd en hij zich voorover had gebogen om de enkel van mijn linkervoet te kussen en toen zonder hulp niet meer overeind had kunnen komen, had ik mijn stemming voelen verbeteren. Mijn benen zijn nog heel goed, vind je niet?

O, daar ben ik het roerend mee eens, zei hij en hij bukte zich om mijn knie te kussen.

Je lippen zijn redelijk onbeschadigd, zei ik, terwijl ik in zijn armen achteroverleunde om ze aandachtig te bekijken.

Je meent het, zei hij en hij tuitte zijn lippen.

Jazeker, zei ik en ik gaf er een dikke zoen op.

Je bent nog steeds mooi, zei hij, alleen dikker. Meer om van te genieten.

Eerder hadden we ons gehaast, nu wist ik dat we er de

tijd voor zouden nemen. Weet je nog dat ik altijd je haar borstelde? vroeg hij.

Nee, zei ik.

Ik borstelde altijd je haar, hield hij vol. Ik hield ervan zoals het om mijn vingers krulde. Het is gek gesteld met de Mundo's, sommigen van ons hebben nog een donkere huid, daaraan kun je dus zien dat we met Afrika verbonden zijn, maar ons haar is vreselijk steil. Indianen hebben sterke genen voor steil haar, zei hij grinnikend.

Het springt nu niet meer, zei ik, terwijl ik hem naar de borstel zag zoeken.

Hij ging grijnzend achter me in het bed zitten. Buig je hoofd achterover, zei hij en ik deed het. Door gewoon met mijn hoofd op zijn borst te liggen kreeg ik een heerlijk rustig gevoel. Langzaam begon hij te borstelen. Ik dacht dat hij misschien een opmerking zou maken over de groene streep, maar dat deed hij niet.

Het is veel dunner, hè? zei hij. Hij trok aan een pluk haar boven op mijn hoofd.

Ik gaf geen antwoord. Billie Holiday was zachtjes aan het zingen. Iets vrolijks en swingends. Ik was bang dat Manuelito een borrel zou willen als hij haar stem hoorde. Het was dat soort muziek, dat soort stem. Maar nee, hij borstelde kalm door, vaak van houding veranderend om zijn lichaam soepel te houden. Hij borstelde zo lang dat ik begon te soezen. Maar zodra dat gebeurde, legde hij de borstel weg en voelde ik zijn vingers, die mijn schouders en nek begonnen te masseren. Ik voelde ze over de nachtpon strijken die mijn borsten bedekte.

Ik ben dol op grote borsten, zei hij in mijn oor.

Nou, liefste, deze meloenen heb ik speciaal voor jou

112

gekweekt. Dit zei ik terwijl ik zijn handen pakte en ze naar mijn twee uitdagende tepels leidde. Heel voorzichtig en een beetje huiverend, haalde hij de kettinkjes eruit. En zo begonnen we.

Wanneer je door een minnaar verlaten wordt van wie je nog houdt, fantaseer je erover dat je hem nog één keer in je armen hebt. Maar het is altijd een fantasie over hoe het vroeger was. Je hebt beiden nog hetzelfde lichaam. Manuelito en ik waren dezelfde mensen, maar onze lichamen schenen de lichamen van twee andere mensen te zijn. We kusten elkaar. We likten elkaar. We wreven langs elkaar. (Hij had behendig het staafje uit mijn navel gehaald). Maar we hoopten vooral vurig dat onze onbekende lichamen tot bezinning zouden komen en elkaar weer zouden vinden. Eerst leek het niet mogelijk dat het zover zou komen. Op een gegeven moment mompelde Manuelito iets over dat hij een borrel nodig had. Ik snakte naar een hamburger met patat. Maar we hielden vol. Ik dacht dat ik de weinige plaatsen op zijn lichaam moest vinden waar hij nog seksueel gestimuleerd kon worden. Hij dacht dat hij zich enorm moest inspannen om tussen al dat vet mijn gevoelige plekje te vinden. Maar toen we heel moe werden, lieten we onze strategie varen. We deden een dutje. En toen we wakker werden had ik het gevoel dat de energie in het appartement volkomen veranderd was. En toen we uren later uit bed stapten, waren we allebei bevredigd.

Magdalena, zei hij, terwijl we een overvloedig ontbijt bij Burger King aten, ik wil met je trouwen.

Maar je bent al getrouwd, zei ik.

Hij keek verbaasd. Dit maakte me aan het lachen.

Ik ben getrouwd, je hebt gelijk. En ik houd van mijn vrouw, Maria.

Maria? zei ik. Ze heet Maria? Godin, dacht ik, wat voorspelbaar.

Er is niet dezelfde betovering tussen ons, zei hij bedroefd. Die is er nooit geweest. Weet je wat ik geloof? Ik geloof dat er tijdens ons hele aardse bestaan maar één ziel is die precies bij onze eigen ziel past. We zijn er altijd naar op zoek, bewegen ons altijd in de richting ervan, maar heel vaak vinden we haar nooit. Hij zweeg. Wij hebben elkaar niet een keer maar tweemaal gevonden! Niet alleen toen we jong en mooi waren, maar zelfs nu, in onze huidige conditie.

Ik stopte een frietje in mijn mond. Als ik met jou eet voelt het net zo als wanneer ik alleen eet.

Dat bedoel ik dus, zei hij.

Ja, maar Maria is je vrouw. Ze heeft te veel meegemaakt om je nu los te laten.

Wat moeten we doen? vroeg hij.

Een verhouding hebben natuurlijk, zei ik.

Maar we moeten Maria alles vertellen, zei hij.

Ja, zei ik, ik weet dat je zo bent opgevoed.

Hij knikte.

Zal ze ons verachten of zal ze medelijden met ons hebben?

Ik weet het niet, zei hij. Ik ben al jaren aan de drank; het valt niet mee om medelijden met een dronkaard te hebben. We hebben van die lange, mislukte periodes in ons leven waarin we ons walgelijk gedragen.

———

Ik wist dat Manuelito voor mij, voor ons, zou ophouden met drinken. Precies zoals ik wist dat ik onmiddellijk op mijn gewicht zou gaan letten. Maar net als de Manuelito en Magdalena van vroeger, zeiden we er niets over tegen elkaar; we namen die dag zelfs een paar forse borrels en aten een stevige maaltijd.

Toen we het restaurant verlieten, werd Manuelito, die dronken liep te zingen en zich eerst naar mij keerde en daarna zijn armen omhoog zwaaide alsof hij de opgaande heldere maan wilde omhelzen, getroffen door een bus. Hij werd een halve straat ver door de bus meegesleurd. Tegen de tijd dat ik bij hem kwam, was hij dood.

En daarom kom ik de berg af; het toevluchtsoord waar ik schrijf ver achter me gelaten. De beschermgeest, van wie ik begin te vermoeden dat hij daar rondzweeft, achtergelaten op de schommel onder de eikenboom. Ik zal een echt zusje voor Magdalena, June, Mad Dog, MacDoc zijn, nu ze door een nieuwe golf van pijn wordt overspoeld.

Maar ik ben niet verdrietig, Susannah, zei ze toen ik voor haar deur stond. Uitgeput door de vlucht, het drukke middagverkeer en slaapgebrek, staarde ik haar aan met bloeddoorlopen ogen. Ik herinnerde me dat ze heel dik was, maar nu leek ze wel tweemaal haar normale omvang. Haar groene haar hing slap en haar neusringetjes waren dof. Toch was er iets aan haar dat anders was. Wat was het?

Het was een wonder dat we elkaar weer gevonden hadden, maar het was niet blijvend, zei ze. Ik voelde, zelfs onder het vrijen, dat ik Manuelito van elders te leen had. Niet alleen van Maria, zijn vrouw, en hun kinderen. Er viel een stilte. Ik denk eigenlijk, vervolgde ze, terwijl ze even naar de bodem van haar theekopje keek, dat hij in Viëtnam al gestorven was.

O, lieverd, zei ik, het klinkt net als de Twilight Zone zoals je dat zegt.

Maar er ís een overgangsgebied, zei ze zacht. Waar

denk je dat die 'twilight zone' van de televisie vandaan komt?

Alsjeblieft zeg, zei ik.

O, ik begrijp best dat het niet rationeel is. Ze zette haar kopje neer. Maar kijk eens naar de wereld om je heen, zei ze. Wie kan het wat verdommen dat iets niet rationeel is. Niets wat je daar ziet lijkt rationeel.

Dus je bent hem in het vliegtuig uit Las Cruces tegengekomen. Wat deed hij? Waar ging hij naar toe?

O, zei ze. Moet je horen. De 'baan' die de regering voor hem had gevonden, was toespraken houden voor leerlingen van de middelbare school. Toespraken over het leger. Over Viëtnam.

Goeie genade, zei ik.

Ja, zei ze. Dus was hij voortdurend onderweg, een soort Indiaanse Vliegende Hollander, die alleen maar thuiskwam om dronken te worden, zijn gezin het leven zuur te maken en een schoon uniform aan te trekken. Een nachtmerrie.

Tja, wat kon hij die jongelui tenslotte vertellen, zei ik sarcastisch.

Magdalena lachte. Precies. Daar stond hij dan in zijn keurige soldatenpakje, zijn lichaam aan elkaar genaaid met ijzerdraad... heb ik je verteld dat de metaaldetectors in winkels altijd als een gek tekeergingen als hij erlangs liep? Hij had een speciaal reisdocument dat hij aan de bewakers op het vliegveld liet zien.

Je meent het, zei ik, nog steeds peinzend over de verandering in mijn zusjes karakter. Ze had niets gegeten sinds we van het vliegveld kwamen. Ze is op dieet, dacht ik, misschien verklaart dat waarom ze een soort etherische glans om zich heeft.

Hij wilde die jongelui natuurlijk dolgraag de waarheid vertellen. Hij wilde zeggen dat ze moesten maken dat ze wegkwamen van hem en ieder ander in uniform. Maar daar stond hij, met zijn Purple Heart en zijn kleremedaille, ik bedoel eremedaille, waar hij aan vastzat als een vlieg aan een plakstrip.

Dus wat deed hij dan?

Hij probeerde ze te leren hoe ze in leven konden blijven. Op dat gebied was hij een expert, zei hij. Het enige waar hij naar zijn idee goed in was. Maar het waren geen Indianen. Het waren slappe Amerikaanse boerenzoons en nog slappere en onnozelere achterbuurtjongens. Bovendien wisten hij en zij dat ze waarschijnlijk alleen een baan bij het leger zouden kunnen krijgen. De plattelandsjeugd had zijn buik vol van vrede en televisie en de stadsjeugd liep een paar maal per dag de kans het loodje te leggen als ze alleen maar naar de hoek van de straat liepen. Hij praatte de hele ochtend tegen hen, ging dan naar zijn hotelkamer en werd dronken.

Hij wist zelf niet hoe hij in leven moest blijven, zei ik, terwijl ik de kop koffie pakte die ze me aanreikte.

Ze haalde haar schouders op. Hij is zingend gestorven, zei ze.

O, zei ik.

Ja. Hij is gestorven onder het zingen van zijn inwijdingslied. Toen we in de bergen woonden heeft hij het mij geleerd en ik zong het vroeger altijd.

Magdalena begon te neuriën en daarna zachtjes, fluisterend te zingen:

Iedereen ziet dat de hemel naakt is
en als de hemel naakt is
is de aarde
ook naakt.

Dat herinner ik me, zei ik. Dat herinner ik me bijna.

Ik zeg je toch dat ik het aldoor zong, of neuriede. Papa werd er gek van, wat een van de redenen was waarom ik het deed. Jaren geleden heb ik beseft, dat hij zichzelf op een gegeven moment echt in een priester heeft veranderd. Het was alsof al dat bijbellezen en komedie spelen om de Mundo's voor de gek te houden een deel ven hemzelf werd. Vroeger stelde ik me voor dat zijn oeroude reptielenbrein de overhand had gekregen.

Het was inderdaad vreemd, hè? zei ik. Mama en papa waren allebei atheïst.

Het waren grote leugenaars, zei June. Altijd maar loeren naar de Mundo's en in hun gemene grijze boekjes krabbelen.

Tegenwoordig zou hun werk gesubsidieerd zijn, zei ik. Een of ander antropologisch genootschap, dat inmiddels geïntegreerd zou zijn, zou zo'n fris, pittig, intelligent klinkend zwart echtpaar, dat geïnteresseerd was in het gedrag van een stam-van-gemengd-ras als de Mundo's, zeker te hulp zijn geschoten.

De kerk heeft in zekere zin slaven van hen gemaakt, zei June, door hen te dwingen haar werk te doen zodat ze hun eigen werk konden doen.

Je kunt je haast niet voorstellen dat het ze gelukt is, zei ik. Papa die preekte over dingen waar hij nauwelijks iets vanaf wist, mama die deed alsof ze vroom was.

Ze hielden het vol door te neuken, zei mijn zusje bitter.

O ja, zei ik lachend. Je wilt niet geloven hoe lang het heeft geduurd voor ik begreep waarom dat zo was!

WAAROM EEN DOLLE HOND
ALS WIJS WORDT BESCHOUWD

Ik weet nog wanneer Magdalena me vroeg waarom we een dolle hond in onze stam als wijs beschouwen. Het was echt iets voor haar om zo'n vraag te stellen. Haar kleine zusje Susannah vroeg nauwelijks iets. Zij nam er genoegen mee om stilletjes achter haar ouders aan te lopen. Haar vader verwende haar, eerlijk gezegd. Het was duidelijk dat hij haar alleen mooi vond als ze zich heel langzaam bewoog of als ze stilzat. Dan staarde hij naar haar alsof ze een bloem was, met niet meer beweeglijk- heid dan een bloem. Magdalena was anders. Die zat overal en bemoeide zich met alles. Alle ouderen hielden van haar omdat ze nog wild was. Ze vertelden haar verhalen zolang ze stil kon zitten, en zij deed kleine karweitjes voor hen.

Een dolle hond wordt als wijs beschouwd omdat hij zijn verstand heeft verloren, zei ik. En je verstand verlie- zen is een van de moeilijkste dingen ter wereld. Ons volk gebruikt eenmaal per jaar kruiden om allemaal samen en tegelijkertijd ons verstand te kunnen verliezen. In plaats van gedachten hebben we dan visioenen en door die visioenen laten we ons leiden.

Maar waarom zou je je verstand willen verliezen? vroeg ze ronduit, met een verwonderde blik. Dat lijkt me stom.

Nee, nee, zei ik. In de wereld waar jij vandaan komt hechten de mensen te veel betekenis aan het verstand. Je zou zelfs kunnen zegen dat ze uitsluitend verstand zijn geworden.

Wat weet jij van de wereld waar ik vandaan kom? vroeg ze.

Daarover zal ik je later vertellen, zei ik, maar nu wil ik je vertellen waarom een dolle hond wijs is.

O, goed dan, zei ze, terwijl ze haar hand in haar zij zette en naar me opkeek.

Ze was zo mooi, Magdalena! Zelfs toen we nog kinderen waren wilde ik haar al kussen. Haar lippen waren vol en rond; 's zomers werd ze heel bruin, zwart bijna. Haar wangen waren als chocolade. Ik wilde ze likken. Ze had een doortastend karakter en wat ze voelde stond altijd in haar ogen te lezen.

Dolle honden bijten mensen, zei ze nu.

Dat aspect spreekt ons niet aan. En ook niet het kwijlen of schuimbekken; de angst om water te drinken evenmin. Alleen het verliezen van het verstand.

Aha, zei ze.

Het geeft aan, dat je je niet te veel door je hersens moet laten leiden. Het herinnert je eraan, dat je je gevoelens niet mag negeren, hoe mal ze ook zijn; het geeft ook aan, dat gek-zijn nut heeft.

Maar wijsheid? zei ze. Ik weet niet of ik dat erin zie.

De ouderen zeggen dat je wijsheid pas als zodanig herkent als je oud bent.

Nou, zei ze lachend, geen mens kan ooit zo oud worden als zij.

Op de een of andere manier kwam dit antwoord de

ouderen ter ore. Ze vonden het vermakelijk. En vanaf dat moment werd ze Mad Dog genoemd. Haar vader drong erop aan dat het MacDoc werd. Maar zelfs voor die bijnaam geneerde hij zich. Hij begreep niet dat Magdalena een Veranderende Vrouw was, zoals we dat noemden, een natuurlijke, niet-onderwezen en niet-ingewijde en daarom bijzonder zeldzame vrouw.

Wij zagen dit meteen. Al op de eerste dag dat ze naar ons dorp kwamen. Een Veranderende Vrouw in wording is gemakkelijk te herkennen, zelfs in de gedaante van een klein meisje. Zij is degene die alles met een bewuste blik lijkt op te nemen. Zij is degene die geen schaamte lijkt te kennen. Want wat voor nut heeft schaamte voor iemand die elk ogenblik datgene kan worden waarvoor ze zich schaamt?

GELUK

Zelfs terwijl de bus me voortsleepte zong ik. Hoewel ik toen al dood moet zijn geweest. Onder mijn volk wordt dit als een groot geluk beschouwd. Het betekent dat ik in het hiernamaals zal blijven zingen en leven. Tot mijn taken volbracht zijn tenminste. Dat is wat het inwij-dingslied je belooft, hoewel je nog zo jong bent als je het leert dat je het onmogelijk kunt begrijpen.

Iedereen ziet dat de aarde
het kleinkind is van
de maan
en de maan de moeder
van de nachthemel

Als je sterft
zal dit lied
je naar de andere oever
van de rivier brengen
het is je kleine boot
het is je paard

En daarom heette mijn paard Vado, wat een ondiepe plaats in de rivier betekent, waar je gemakkelijk kunt oversteken.

Ik wilde Magdalena niet verlaten, maar nu, vanuit deze positie, begrijp ik dat het een volmaakt moment was om te gaan. Dat ik, gehavend en al, voor haar gespaard was gebleven en naar haar was teruggezonden. Maar ik was als een slap vod dat tijdelijk door haar liefde werd gesteven. Een ogenblik lang stond ik rechtop naast haar, lang genoeg om haar te zeggen dat ook ik begreep dat we voor elkaar bestemd waren. Dat wat we gedeeld hadden echt was. Want ook dat maakte deel uit van haar honger: het verlangen te weten dat ze in haar wanhopige liefde niet alleen was.

Bij de Mundo's word je geleerd een ander niet als bezit te beschouwen. Maar ik verliet de stam zo jong dat ik die les maar gedeeltelijk heb geleerd. De les die ik wel leerde was, dat er in ons leven maar één ziel is waartoe we ons hoofdzakelijk voelen aangetrokken. Het is een aantrekkingskracht van lichaam en ziel. Als we die ander hebben gevonden, worden we onvermijdelijk getroffen door het gevoel dat we niet bang zijn voor wat anderen denken. Je zegt niet: wie zal het hiermee eens zijn? Hoe aanstootgevend zal het zijn? Je zegt alleen maar: de Moeder zij dank (onze opvatting van God) of het Geluk zij dank, aangezien voor ons de Moeder (alles wat bestaat) en het Geluk hetzelfde zijn.

VLEES

Mijn vader werkte in een slachthuis toen ik klein was, zei ik tegen Susannah. Zelfs in die tijd, aan het eind van de jaren veertig, begon men immigranten uit Oost-Europa en arbeiders-zonder-papieren uit Mexico het smerigere, slechter betaalde werk aan te bieden dat mannen zoals mijn vader deden; daar wond hij zich vreselijk over op. Arbeiders die nauwelijks Engels spraken en die hij een of andere lawaaierige, vettige machine had leren bedienen, bekleedden al gauw een betere positie dan hij in het bedrijf. Al zijn woede en zelfmedelijden nam hij mee naar huis en deponeerde hij voor onze deur. Een deur vol krassen en groeven die zo lelijk en afstotelijk was – de ellende achter die deur droop er namelijk vanaf – dat ik als tiener geld van mijn babysitten opspaarde om een klein blikje gele verf te kopen en hem de kleur van de zon gaf.

Ik heb Susannah vaak over mijn jeugd verteld, omdat ze oneindig geboeid wordt door verhalen die met overleven te maken hebben.

Hoe gaf je moeder jullie allemaal te eten? vraagt ze, met grote ogen.

Bij ons thuis, antwoordde ik, werd nooit iets weggegooid. Zelfs de botten niet.

Zelfs de botten niet? herhaalt ze, iedere keer als ze het hoort. Wat kon ze in vredesnaam met botten doen?

Koken, antwoord ik.

Koken? zegt ze, alsof het een term is die in culinaire gesprekken niet voorkomt.

Koken, antwoord ik. In de lijmfabriek die naast het slachthuis stond waar mijn vader werkte, werden botten gekookt om lijm te maken. Maar mijn moeder trok er bouillon van om soep te maken.

O, zegt ze. Ze is misschien haar lange sabelzwarte haar aan het borstelen, of haar nagels aan het lakken. Ik heb haar misschien net geneukt tot ze sterretjes zag.

We waren arm, zei ik dan.

Jullie waren arm, herhaalde ze, alsof schaarste een begrip was dat ze niet helemaal kon bevatten.

―――

Maar de stereotype agressiviteit, vijandigheid en dronke-manstranen, het schelden en sarren van mijn vader, vormde niet de enige kant van zijn karakter. Er was nog een hele andere kant, zei ik. Als hij bij zinnen was, zoals mijn moeder het noemde, als hij in bad was geweest, een dutje had gedaan en lekker had gegeten; als hij ons rapport had gezien en er tevreden over was; als hij zijn eerste borrel niet had genomen en mijn moeder had meegelokt naar hun achterslaapkamer, dan was hij een vader vol grappige verhalen en spelletjes. Een vader die graag dingen repareerde, een vader die gitaar speelde.

Bij deze beschrijving van het vaderschap leefde Susan-nah altijd op. O, zou ze wellicht zeggen, het lijkt me een geweldige vent.

Daar dacht ik over na, terwijl ik misschien de binnen-kant van haar dij streelde.

Hij was niet anders dan anderen, zou ik wellicht antwoorden.

Vertel me nog eens hoe je in verwachting raakte, vroeg ze dan, net zoals een kind om een sprookje zou vragen.

Het was lente, begon ik.

Wacht, wacht, zei ze, als het lente was, moeten we de ramen opendoen. Of als het winter was waar we waren, zei ze: O, als het winter was, moeten we een kaars aansteken of een vuur aanmaken. Rituelen waren belangrijk voor haar, belangrijker dan voor ieder ander die ik ooit gekend heb. Ik wachtte tot ze het raam had opengeschoven, een kaars had aangestoken, een vuur had aangelegd of wat dan ook.

Het was lente, begon ik weer. Ik was vijftien.

Vijftien, herhaalde ze.

Vijftien, zei ik.

Zijn het altijd jonge meisjes van vijftien die slechte dingen overkomen? vroeg ze.

Val me niet in de rede, zei ik.

Ik geloof het wel, zei ze ademloos.

Er was een aardige man die bevriend was met mijn vader. Ik vind niet dat hij zo aardig was. Ik bedoel, hij viel wel mee, maar als hij nooit was komen eten zou ik het best hebben gevonden.

Je bedoelt dat je hem niet zou hebben gemist?

Ja.

Ga door.

Dat probeer ik ook.

Sorry.

Moest je me niet weer vragen hoe arm we waren? vroeg ik.

O, zei ze, dat gedeelte was ik vergeten.

Ook al voordat die aardige man kwam eten en aan de andere kant van de tafel naar me begon te staren waren we arm. Mijn vader was de hele dag bezig met het verwerken en inpakken van vlees. Hij rook naar vlees. Hij nam vlees voor ons mee naar huis dat hij in zijn kleren had verstopt. Eigenlijk liet hij de kleren waarin hij werkte bij het bedrijf achter. Die heb ik zelfs nooit gezien. Hij zei dat ze aan het eind van de dag zo vet en smerig en besmeurd met bloed waren dat ze vanzelf overeind bleven staan. 's Avonds werden alle kleren van de arbeiders verzameld en uitgekookt.

Bah, zei Susannah.

's Winters droeg hij een grote jas; binnenin had mijn moeder een heleboel zakken genaaid. Als we zijn sleutel in de deur hoorden, renden we naar hem toe en trokken het vlees uit alle zakken. Als hij niet te dronken en te slechtgehumeurd was, moest hij erom lachen.

Met hoevelen waren jullie? vroeg ze, terwijl haar bruine ogen donker van verwachting werden.

Met zijn twaalven, zei ik.

Met zijn twaalven, antwoordde ze, alsof ze perplex was.

Tien kinderen, zei ik haastig.

Ze bleef stil bij de gedachte eraan.

Tien kinderen, allemaal met een mond om te vullen, zei mijn moeder altijd.

En jij was de oudste? vroeg ze.

Ik zat dichter bij het midden, zei ik. Nummer vier.

Hoe voorkwam je dat je in dat hele stel verloren ging? wilde ze weten.

Om de een of andere reden moest ik daar altijd ongemakkelijk om lachen. Tijdens therapie had ik ontdekt dat ik me inderdaad verloren had gevoeld, maar toen ik thuis was had ik mezelf belangrijk gevonden. De oudere kinderen hadden mijn ouders als ouders, de jongere kinderen hadden mij.

O, zei ze, niet begrijpend.

Ik was moeder vanaf mijn vijfde jaar, zei ik. Het gebeurde geleidelijk aan. Lily Paul, geef de luier eens aan; Lily Paul, geef de fles eens aan. Lily Paul, houd Joey eens vast. Toen ik acht was kon ik eten koken, terwijl ik een kind vasthield en op nog twee andere paste.

Nee toch, zei Susannah, met grote ogen.

Je ogen zijn zo groot als schoteltjes, zei ik.

Als schrijfster moest ze altijd lachen om deze beschrijving van haar.

Maar als je zo belangrijk was, begrijp ik niet waarom ze je wilden uithuwelijken. Je was het volmaakte dienstmeisje, behalve dat je er niet eens in dienst was.

Het enige waar ik echt om gaf was school, zei ik. Het was het allerbelangrijkste voor me. Als ik de andere kinderen 's morgens de deur uit had gekregen, ging ik stiekem naar school. De kleine kinderen liet ik bij mijn moeder achter die dan voor hen moest zorgen. Wat ze niet kon omdat ze toen al te ziek was.

Mijn god, zei Susannah huiverend.

Die aardige man die tegen me glimlachte was platzak. Een nietsnut. Wel charmant. Hij vond het heerlijk om op visite te zitten en met mijn ouders te drinken en te kaarten. Hij kon me onmogelijk onderhouden. Het enige dat hij kon was me zwanger maken zodat ze me thuis konden houden.

Nee toch, zei Susannah.

Reken maar, zei ik.

Wanneer had je dit allemaal door?

Jaren later, zei ik.

De gebroeders Grimm kunnen het je niet verbeteren, zei ze.

Wat bedoel je? vroeg ik.

Dit is erger dan Hans en Grietje, antwoordde ze. Erger dan gekookt en opgegeten worden door de heks. Erger dan Roodkapje zijn.

Het is nog erger dan wat er met Psyche of Persephone gebeurde, zei ik droog.

En het verhaal van Psyche liep goed af, zei Susannah, met een nadenkende frons op haar voorhoofd. Eros kwam tot bezinning. Hun kind werd in blijdschap verwekt en ze noemden het Joy.

Ja, zei ik. Dat is mij niet bepaald overkomen.

Jij bent meer als Persephone, lieveling, zei ze, terwijl ze zich vooroverboog om mijn lokken te strelen. Jij was voorbestemd om tenminste de helft van de tijd gelukkig te zijn.

Ik hield van haar welriekende adem, alsof ze nooit iets onaangenaams had gegeten. Ik kuste haar. Ze was alles wat ik niet was. Lang, elegant, verzorgd. Bemind door haar ouders. Bereisd. Ze reed in een donkerblauwe Mercedes Benz cabriolet, met de kap omlaag zelfs als het regende. Ze onthaarde haar benen met hars.

Ik mocht hem niet, zei ik. Ik moest niets van jongens hebben. Ik had geen vriendje. Ik was op mijn veertiende eigenlijk al een beetje te dik om aantrekkelijk te zijn voor de jongens op school.

Dit was een oudere man?

Veel ouder, zei ik. Op zijn minst vijfentwintig.

Hoe zag hij eruit? vroeg ze.

Hij was knap, zei ik. Op dat punt was ik het wel met mijn ouders eens. Hij was goed gebouwd. Hij had een mooie teint. Bruin, als donker hout. Het soort huid waarop nooit een pukkel komt. Hij rook ook lekker. Hij probeerde met me te praten over wat ik op school leerde. Hij had een frisse adem. Ik mocht hem gewoon niet, zei ik, mijn schouders ophalend. Mijn ouders mochten hem wel. Ze gingen graag met hem om. Ze zagen het nut dat hij voor hen kon hebben.

Maar er waren al zo veel kinderen, zei Susannah. Je zou denken dat ze ruimte te kort hadden.

Er was geen ruimte meer, zei ik. Maar de oudere kinderen vertrokken, werden eigenlijk het huis uit gedrongen. Maar je snapt niet wat ik bedoel. Als ze me konden dwingen te blijven, zou ik er zijn om voor de kinderen te zorgen, hoeveel mijn moeder en ik er ook kregen.

Ik geloof dat ik het me niet eens kan voorstellen, fluisterde Susannah, terwijl ze aan haar glas Campari met ijs nipte.

Nee, jij kunt het je niet voorstellen, zei ik. Daarom intrigeer je me zo.

O, schat, zei ze, je windt er ook geen doekjes om.

Enfin, hij zat maar naar me te grijnzen aan de andere kant van de tafel. Ieder jaar rolde er een kind uit mijn moeders buik, als appels die van de boom rollen. En ik was er om ze op te rapen als ze eruit rolden. Ze ging bijna iedere dag naar de dokter, zo kwam ze het huis uit. Ze moest een strakke band om haar onderlichaam dragen om haar baarmoeder op zijn plaats te houden. Het is absoluut verbazingwekkend, zei ik, dat ik pas achteraf, na jarenlange therapie, inzag hoe schokkend het voor me moet zijn geweest om die oude, grijs wordende, gebogen vrouw ieder jaar weer zwanger door het huis te zien strompelen.

Werd er dan helemaal niet over geboortebeperking gesproken? fluisterde Susannah met klem.

Nee, zei ik. Mijn ouders waren vrome mensen. Ze dachten dat geboortebeperking moord was.

En abortus was strafbaar, zei ze. Stel je voor.

Meer arbeiders voor het slachthuis, zei ik. Ze hoefden ze haast niets te betalen. Al mijn broers werkten er.

En pikten zij ook vlees?

Voornamelijk om het te verkopen, zei ik. Of om aan de prostituees te geven met wie ze omgingen.

En de vrouwen met wie ze trouwden dan?

Ze weigerden te trouwen, deden het pas toen ze bijna oud waren. Ze betaalden een vrouw liever voor seks, zonder tierelantijnen, zoals ze het graag noemden, dan konden ze doen alsof haar kinderen op de postbode leken.

Nee toch! zei Susannah.

Trouwen sprak ons geen van allen echt aan, behalve de laatste drie kinderen. Tegen de tijd dat zij geboren werden waren er meer banen. Ze waren naar school geweest, hadden een opleiding gehad. Door hun klasgenoten en de televisie kwamen ze erachter dat niet alle gezinnen als het onze hoefden te zijn.

Die aardige man bleef maar naar je grijnzen, aan de

andere kant van de tafel, zei Susannah, die me weer op mijn verhaal bracht.

Ja, zei ik. Maar ik had er genoeg van om over mijn leven na te denken. Ik wilde opschieten met het verhaal. Een stemming die Susannah, mijn geboeide publiek, ergerde. Ik zuchtte. Ze bleven maar zeggen: kijk eens naar die lekkere zak zoete aardappels die Winston voor je heeft meegebracht. Kijk eens naar die doos met koffie- broodjes. Hij is gek op je. Waarom ben je niet een beetje aardiger voor hem? Hoeveel aardiger kon ik zijn? Van wat ik kookte, at hij zijn portie. Ik vloekte niet tegen hem en gooide geen stenen naar hem als ik hem aan zag komen. Ik was verdomd beleefd. Te beleefd. Sommige mensen denken dat beleefdheid een uitnodiging is om binnen te dringen.

Hmm, zei Susannah.

Hij hielp me bij het oppassen op de kinderen, zodat mijn vader en moeder af en toe eens weg konden. Dan gingen ze naar de film of bij een vriend op bezoek. Wij zaten op de bank en luisterden naar muziek terwijl de kinderen speelden. Of we zaten met zijn allen televisie te kijken. Hij legde zijn arm over de rugleuning van de bank. Ik geef toe dat ik hem soms als een soort steun, een soort toevluchtsoord beschouwde. Hij stond op om een kind een glas water of een snee brood te geven en ik hoefde het niet te doen. Ik leed voortdurend aan bloed- armoede, al vanaf mijn geboorte denk ik, en was altijd moe.

Over hoeveel kinderen hebben we het hier? vroeg Su- sannah.

Vijf, zei ik, waar echt voor gezorgd moest worden.

Hoe kon je dat doen en ook nog naar school gaan?

Mijn school had eronder te lijden, maar ik bleef gaan. Ik hield van mijn broertjes en zusjes, maar ergens vanbinnen besefte ik dat het niet mijn kinderen waren. Ik wilde aardrijkskunde leren, weten waar andere plaatsen waren. Ik wilde leren tekenen en typen.

Ik wist niet eens hoe je in verwachting raakte. Niemand vertelde ooit iets aan jonge meisjes. Ik wist alleen maar dat ik hem niet dichter bij me wilde hebben dan naast me op de bank, met zijn arm over de rugleuning. Maar op een dag waren ze het beu dat ik zo ongeïnteresseerd was. Mijn vader, mijn moeder en een van mijn broers, van wie Winston de beste vriend was, voerden me dronken. Ik had zelfs nog nooit sterke drank geproefd. En toen lieten ze me met hem alleen.

Het is niet te geloven! zei Susannah. Hoe konden ze zoiets doen. Hoe deden ze het dan?

Weet je dat niet meer? vroeg ik.

Vertel het me nog een keer, zei ze.

Het was eigenlijk een soort pseudo-inwijdingsritueel, zei ik. Voor het eerst in mijn leven herinnerden ze zich mijn verjaardag, 12 augustus, en ze hielden een feestje voor me. Mijn vader bracht een taart mee. Winston bracht een cadeautje mee. Mijn broer bracht tequila mee. Mijn moeder braadde een kip.

Het cadeautje dat hij voor me had gekocht was geweldig. Het was een mondharmonica. Ik had er altijd al een willen hebben. Ik brandde van verlangen om erop te leren spelen. Ik ging van tafel zodra we onze taart op hadden en begon te oefenen. Ik was al duizelig en een beetje misselijk van de tequila, maar heel erg gelukkig.

Ze keken allemaal op een eigenaardige manier naar me, maar ik besteedde er geen aandacht aan.

Kortom, zei ik, hij maakte misbruik van me toen ik bewusteloos was.

Ach, Persephone! zei Susannah en ze trok me dichter tegen zich aan.

Persephone werd niet door haar moeder verraden, zei ik, terwijl ik mijn neus in haar hals begroef. Persephone's moeder miste haar dochter. Ze maakte het winter op aarde toen Persephone onvindbaar was. Mijn moeder vroeg me niet eens wat er was gebeurd. Ik wist het trouwens eigenlijk niet. Toen bleek dat ik in verwachting was, zei ze dat ik maar bofte dat Winston er was en dat hij me wilde hebben.

ZE REED PAARD

Ik kon nooit tranen vinden als Pauline me dit verhaal vertelde. Voor een deel omdat ze zo anders was dan de Pauline van haar verhaal. Met haar vijfenvijftig jaar was ze een sterke, doortastende, zelfverzekerde vrouw die strakke spijkerbroeken, zijden overhemden, leren jakken-met-franje en cowboylaarzen droeg. Ze had haar als een wilde grijze fontein. Op de vrouwenclub kauwde ze op een nepsigaar en biljartte met haar achterwerk naar de deur. Ze nam vrouwen met zo'n schaamteloos speculatieve blik op dat blanke vrouwen onmiddellijk bloosden, zwarte vrouwen even discreet hun nek aanraakten en kinderen, die dachten dat ze volwassen waren, rechtsomkeert maakten en naar huis gingen.

Jij bent altijd op de versiertoer, zei ik tegen haar, kort nadat we elkaar ontmoet hadden.

Ze lachte. En ik heb er verrekt veel lol in, zei ze. Waarom zouden mannen alle plezier moeten hebben?

Maar we proberen de manier waarop vrouwen bekeken worden te veranderen, zei ik. Ben jij geen feministe?

Ik denk het wel, zei ze. Maar er is niks verkeerds aan de manier waarop ik vrouwen bekijk. Als ze er aantrekkelijk uitzien bekijk ik ze wat langer. Ze haalde haar schouders op. Naar jou zou ik de hele dag kunnen kijken.

Dat zal mijn vriendin niet prettig vinden, zei ik, terwijl

ik ter plekke een vriendin verzon en mezelf verbaasde.

Ziet je vriendin er leuk uit? antwoordde ze.

Dit was een vrouw die op haar vijftiende verkracht was?

Je hoeft niet verkracht te blíjven, hield ze me voor. In zekere zin was het een stap op weg naar de bevrijding voor me, verklaarde ze, maar dat wist ik toen niet.

Wat dacht je dan?

Dat mijn leven voorbij was natuurlijk. Daar was ik dan, zo misselijk als een hond, met een enorme buik, en ik moest iedere avond met Winston neuken.

Het leven van de meest doodgewone vrouw op straat is beangstigend, zei ik.

Mannen zitten ook in de val, zei ze. Dat zag ik eerst niet, zei ze. Ze zien het zelf niet. Soms beseffen ze het pas na een heel leven. Maar ik wist dat er bij Winston nooit iets met me zou gebeuren. Ik voelde niets opwindends, prikkelends of aangenaams als hij me aanraakte. Ik walgde van hem. Maar hij was aan mij verslaafd; hij zat aan de andere kant van de tafel naar me te kijken als een hond die verlekkerd naar een bot gluurt. Mijn ouders vonden het prachtig. Ik zei tegen mijn moeder dat ik het niet prettig vond. Ze zei dat een getrouwde vrouw moest doen wat haar man wilde. En dankbaar moest zijn dat hij het van jou wilde en niet van een of andere straathoer.

Ik zat in de val.

Het was geen vrouw van wie je je gemakkelijk kon voorstellen dat ze in de val werd gelokt. Ze reed paard, scheurde in haar auto rond en nam geen blad voor de mond. Ze had, toen ze nog thuis woonde, zichzelf geleerd cakes te bakken, die ze in het flatgebouw en op straat verkocht. Na dat succes leerde ze taarten bakken; die gingen net zo vlug van de hand. Tegen de tijd dat haar zoontje Richard drie jaar was, had ze genoeg geld gespaard om ervandoor te gaan. Wat ze ook deed. Ze liet het kind bij haar familie achter, terwijl zij naar avondschool ging. Toen ze daarmee klaar was liet ze zich inschrijven bij de universiteit, waar ze tenslotte afstudeerde; vervolgens nam ze dienst bij de marine. Daar leerde ze ruimtevaarttechniek en het volgen van satellieten en sterren. Allemaal voordat ze haar eerste restaurant kocht.

Hoeveel levens heeft een arme vrouw? vroeg ik lachend, terwijl we margharita's dronken in Cuernavaca of ijs aten in Rome.

Net zoveel als Moll Flanders, zei ze. En een arme zwarte vrouw heeft er minstens nog drie meer!

Pauline was belezen, geletterd zou je bijna kunnen zeggen. Ze vervlocht met gemak haar eigen levensverhaal met dat van vrouwen uit vroeger tijden. Ze gaf alleen om de doorbijters, de dapperen, de driesten. De vrouwen die wisten dat ze in de val zaten maar zich vast hadden voorgenomen uit de ene na de andere val te ontsnappen, vol woede en met een versterkte levensdrift. Ze wist niet waarom ze mij graag mocht, zei ze. Ik was helemaal geen geschikt wijf.

Maar je mag me niet echt, zei ik tegen haar. Je vindt het lekker om met me te neuken, maar je mag me niet echt.

Natuurlijk mag ik je wel, Suus, zei ze dan.

Waarom voelt het dan soms, als je met me vrijt, alsof je mijn tanden uit mijn mond zou willen schoppen?

Jij hebt alles gehad wat je je maar wensen kunt, zei ze. Ik probeer niet jaloers te zijn op je leven. Ik probeer het je niet te benijden. Maar verdomme, ik wil jouw leven. Ik wil ook reisjes naar Mexico toen ik klein was; gesprekken over cultuur en primitieve kunst. Ik wil ouders die me nooit zouden verraden, zei ze. Als ik met je vrij probeer ik je van je leven te beroven, ja.

Zo voelt het ook, zei ik.

En waarom heb ik het gevoel dat je het soms zomaar aan een ander cadeau geeft?

Wij kunnen er niets aan doen dat jij arm bent grootgebracht en ik niet, zei ik. Bovendien was mijn familie niet rijk, we hadden net genoeg, en mijn ouders hadden alleen mijn zusje en mij. Maar iedere ouder verraadt zijn kind, zei ik. Daar kunnen ze niets aan doen.

Heb je er daarom voor gekozen geen kinderen te krijgen?

Eerlijk gezegd, ja.

Pauline lachte. Mijn zoon is geweldig, zei ze. Hij heeft zich ontwikkeld tot het meest verbazende individu dat ooit geleefd heeft. Wat zou je daarvan denken!

Ik weet zeker dat je dat niet verwacht had.

Verrek, nee, zei ze. Ik dacht dat hij wapens zou smokkelen en drugs zou gebruiken als hij groot was. Maar in plaats daarvan is hij een begaafde wiskundige die dadelijk werd ingepikt door MIT. Hij woont in een smaakvol, ruim oud huis in Cambridge en is de vader van mijn twee heerlijke kleinzoons.

Hij heeft ook een vrouw, zei ik. Dat schijn je altijd te vergeten.

Dat is een nerveus trutje, maar dat moet hij zelf maar weten. Als ik bij hen op bezoek ga, bied ik haar meteen

een joint aan, gewoon zodat ze zich een beetje kan ontspannen als ik er ben. Anders wordt ze iedere keer dat ik naar een vrouw kijk zenuwachtig. Ze is het soort vrouw dat bang is dat ze seksueel aantrekkelijk zal zijn voor andere vrouwen. Je kent het type wel. Ze draagt van die wijde katoenen jurken, opgesmukt met een snoertje oude parels van haar grootmoeder. Ieder haartje keurig op zijn plaats. Het is een raadsel dat mijn zoon zich tot haar aangetrokken voelt. Maar zo gaat het nu eenmaal. Liefde is ondoorgrondelijk.

Maar zou ze je wel mogen als je anders was, denk je?

Niet lesbisch, bedoel je?

Ja. En niet zo godvergeten *ruw*.

Maar ik bén lesbisch. Ik bén ruw, zei Pauline. Daardoor ben ik uit die slaapkamer met Winston weg kunnen komen. Zou je aan Tina Turner vragen haar wilde act op het toneel af te zwakken omdat ze haar schoondochter in verlegenheid brengt? Nee, niet nu ze het lef heeft gevonden Ike voorgoed een schop onder zijn magere kont te geven! Ze mag verdomme zo wild zijn als ze wil. En ik godverdomme ook. Ze zweeg. En wat zouden die klootzakken er trouwens aan willen doen, die lui die de boel zo versjteren in deze wereld: je goldcard afpakken? Je kanker geven? Dat doen ze waarschijnlijk toch wel, hoe je je ook gedraagt.

Als je door een vrouw wordt bemind die zulke ideeën uit, is het alsof je spiernaakt op de aarde zit. Er bestaat geen enkele illusie omtrent wat dan ook. Je fantaseert niet en je hebt geen tijd om te dagdromen. Alles is vlakbij, en persoonlijk. Als ze maar vermoedt dat je de werkelijkheid probeert te vermijden, neukt ze je zo grondig dat je meteen weer met beide benen op de grond staat. Duwt ze haar knokkels op plaatsen waarvan je niet eens wist dat je je daar kon wassen. Zoent ze je zo hard dat je aan zondagsschool denkt. Jezus houdt misschien van je, dat weet je misschien, maar als een vrouw als Pauline met je vrijt wordt de liefde waarover je gefantaseerd hebt in een heel nieuwe context geplaatst. Het is duidelijk dat Pauline liefheeft op een manier waarop Jezus niet van je zou willen of zou kunnen houden. Althans niet in de versie die de aanbidders en de lichtgelovigen wordt voorgehouden. Liefde die je van alles ontdeed, die je opslokte. Die zei dat je brood en drinken was, het feestmaal zelf verdomme. Altijd manifest, altijd voortstromend, als het leven, en er kwam geen einde aan. Als Pauline met je gevrijd had zei je niet als die opgewonden christelijke dames: amen; nee, je zei wat de wilde Indianen zeggen na een krachtig gebed: Ho!

Het eerste wat er gebeurt als je doodgaat

Het eerste wat er gebeurt als je doodgaat, is dat je een hevig verlangen om te urineren hebt. Je hebt niets om mee te plassen, begrijp je, je hebt alleen het verlangen maar. Bij ons volk wordt ons verteld dat dit zal gebeuren en dus was ik niet erg verbaasd. Men beschouwt het als vanzelfsprekend dat spiritualiteit zich in het kruis, in de geslachtsdelen bevindt. Niet in de geest en niet in het hart. Daarom voel je je tijdens het neuken doorgaans dichter bij God. De andere keer dat je je dicht bij de schepper voelt, is natuurlijk wanneer je iets maakt.

Zodra ik de drang om te urineren voelde, voelde ik me tevreden, voelde ik me thuis. Ik voelde dat ik de overgang naar de andere wereld met succes had volbracht. Ik wist dat mijn volk me naar waarheid had onderwezen en dat ik op ieder avontuur dat ik zou beleven was voorbereid. Meteen kwam ik de vader van Magdalena tegen, een snikkende nevel naast de bus.

Het was vreemd hem daar te voelen. Hij was volkomen gefixeerd op het verminkte lichaam dat ik had achtergelaten.

Señor Robinson, zei ik, ik ben er niet slecht aan toe. Toen ik tegen hem sprak, werd hij zichtbaar voor me. Hij keek op; de tranen stroomden langs zijn gezicht.

O, zei hij, Manuelito. Arme, arme jongen.

Nu hij tegen mij gesproken had, werd ik ook zichtbaar voor hem.

Ik ben niet zo arm, zei ik, ik heb zingend het hiernamaals bereikt. Onder de Mundo's is dat het grootste geluk dat je kunt hebben.

Hij strekte zijn armen naar me uit. Heel even vormden we een kleine beweging in de tijd. Als Magdalena gekeken had naar de plaats waar we stonden, zou ze misschien een golvend patroon in de lucht hebben gezien. Toen lieten we elkaar los.

Señor Robinson liet zijn hoofd hangen. Ik ben hier niet zingend gekomen, zei hij. Ik weet dat jouw volk zei dat dit belangrijk was, maar ik geloofde hen niet.

Hoe kan het ook anders, zei ik. U bent grootgebracht bij gringos die geloven dat alles wat echt is gezien kan worden.

Ik had vertrouwen kunnen hebben, zei hij. Vertrouwen in jouw volk. Ze waren zo vriendelijk, maar zo arm. Als je ziet dat mensen zo arm zijn, is het moeilijk te geloven dat ze weten waar ze mee bezig zijn.

Bedoelt u dat u ons wel geloofd zou hebben als we rijk waren geweest, als de *ladinos*, toen we zeiden dat je geluk hebt als je zingend sterft? Maar wij geloven dat er iets waardevollers dan geld bestaat, daarom waren we eeuwig op de vlucht.

Wat bedoel je, dat jullie eeuwig op de vlucht waren? vroeg hij. Het leek alsof we het gehavende lichaam onder de wielen van de bus volkomen vergeten waren. En dat was ook zo. Terwijl we opzij zwenkten om plaats te maken voor het ambulancepersoneel en de politie, was mijn lichaam daar op de grond niet belangrijker meer dan een zak vuilnis. Maar wat had het geleden! Dit was niet eens gedachte, het was eenvoudig iets dat ik wist.

Weet u niet meer waarom u ons kwam bestuderen? vroeg ik.

Señor Robinson trok een nadenkend gezicht. Hij was aan een beroerte gestorven. Hij zag eruit als een heel, heel oud, doorzichtig iemand, die nog net voldoende uiterlijke kenmerken had om de ruimte die hij innam te kunnen herkennen. Dat weet ik niet meer, zei hij.

Omdat we een stam van gemengd ras waren, zei ik, die desondanks een aantal samenhangende maatschappelijke en religieuze opvattingen had weten te behouden. Ik grinnikte. Op die manier beschreef u ons toen u geldelijke steun voor de expeditie probeerde te krijgen.

Nikkers en Indianen, hadden de zogenaamde financiers gezegd; wie kan het iets schelen of wat ze geloven samenhangend is of niet. Straks zijn ze er allebei niet meer. Met afgewend gezicht herhaalde señor Robinson dit wrange commentaar voor me.

Zo vergaat het de meesten van ons ook, zei ik lachend. En tjonge jonge, ze weten niet wat ze te wachten staat als we eenmaal verdwenen zijn.

Ik wilde van je volk leren, Manuelito, zei señor Robinson. Ik heb op de beste scholen van mijn land gezeten, maar wat ik het liefste wilde leren konden zij me niet bijbrengen. Hoe het leven op een betere manier te regelen dan de blanken hadden gedaan. Hoe te leven op een manier die anderen ook toestond te leven.

Nou, zei ik, iedere Mundo heeft één ding gemeen: precies als de sterren, heeft ieder van ons een lange weg afgelegd. En het zijn juist de periodes waarin we het hevigst lijden die ervoor zorgen dat we allemaal dezelfde kant op vluchten en tenslotte samenkomen. Daarom bestaan desastreuze gebeurtenissen – wanneer ons contact met de sterren verbroken is – blijkbaar. En omdat er altijd desastreuze gebeurtenissen plaatsvinden, komt onze stam altijd samen. Daarom zijn de Mundo's nog niet vernietigd. We worden steeds opnieuw gevormd. Velen van ons wonen nu zelfs in steden.

Is dat waar? vroeg hij.

Ja, zei ik. We hebben onze moordenaars vanaf het begin heel goed bestudeerd. We geloven dat wij, een restant van ons, voorbestemd zijn hen te overleven.

Weet u dat de Mundo's altijd spionnen hebben uitgezonden die onder de veroveraars leefden? Dat dit altijd onze hoogste vorm van zelfopoffering is geweest? De Mundo's hebben altijd iemand nodig gehad die zich onder de moordenaars begaf en terugkeerde om ons te vertellen hoe weinig genade we konden verwachten. Maar uw cultuur is erg verraderlijk, señor. Soms zijn onze mensen niet teruggekomen. Soms zijn ze degenen geworden die ze gadesloegen. Door het wijdverbreide gebruik van de televisie werden we met een crisis van grote omvang geconfronteerd.

Hoe hebben jullie het probleem opgelost? vroeg señor Robinson.

De Mundo's gebruiken de televisie op de volgende manier, zei ik. We zetten het toestel in een kamer apart, het liefst in een kast, en dan kiezen we een persoon per week of per maand om ernaar te kijken en vervolgens verslag uit te brengen. We hebben gemerkt, zei ik, dat sommige van deze spionnen ook nooit terugkeren.

Señor Robinson lachte.

Manuelito grinnikte. Iedereen met de juiste instelling kan een Mundo zijn. Maar als groep net lang genoeg bijeenkomen voor ze ons vinden en vernietigen, is het moeilijke ervan.

Maar hoe weet je dat allemaal? vroeg señor Robinson.

Heeft u het nog niet gemerkt? zei ik. Na je dood weet je alles.

As

Net als een goede echtgenote onder de Mundo's, neuriede ik het lied – hetzelfde lied dat hij gezongen had –
terwijl ze Manuelito's lichaam op een brancard legden
en wegdroegen. Ik zag de politie zijn zakken doorzoeken,
zijn armband lezen, waarop precies vermeld stond welke
medische verzorging hij nodig had als hij bewusteloos
werd aangetroffen, en ik wist dat ze contact met Maria
zouden opnemen. De lucht voor mijn ogen leek zacht te
schitteren toen ik op weg naar huis ging. Ik was me er
scherp van bewust dat ik geen ouders meer had, toen ik
me door mijn voordeur wurmde. Zuchtend maakte ik
een martini, die zo sterk was dat de tranen in mijn ogen
sprongen, en klom in bed.

Als ik naar Susannah kijk die tegenover me in de
kamer zit, begrijp ik onmiddellijk waarom ze altijd ieders lievelingetje was. Ze heeft iets kleins, ook al is ze
lang. Ze is heel elegant en verzorgd. Zelfs nu ze alleen in
een grote stoel zit, draait ze met haar lichaam alsof het
door een reusachtige hand wordt gestreeld.

Hoe is het met je nieuwste liefdesaffaire? vraag ik haar.

Die is heel leerzaam, zegt ze en ze grijnst.

Wat is het deze keer? Man, vrouw of klimplant?

Haar grijns wordt breder.

En papa dacht dat ík een slet was, zei ik.

Ben je nog steeds boos op me? vraagt ze zonder omwegen, wat ze nooit eerder heeft gedaan. Mijn benen staan ter plekke stil, dezelfde benen die me naar een doos met kip in de keuken dragen.

Waarom zou ik boos op je zijn? vraag ik.

Ach, June, zegt ze. Toe nou.

Omdat ze van jou hielden en van mij niet?

Maar ze hielden wel van je. Mama en papa hielden van je.

Mama hield van me.

Papa hield ook van je.

Hij vertrouwde me niet. Hoe kan er liefde zijn als er geen vertrouwen is?

Denk je dat God ons vertrouwt?

Laten we die onruststoker erbuiten laten.

Je hebt papa gewoon nooit laten vergeten wat hij je heeft aangedaan, zei Susannah. Ik weet dat hij zijn verontschuldigingen heeft aangeboden.

Ik wilde genoegdoening, zei ik, geen verontschuldigingen.

Genoegdoening! Waar heb je het over?

Ik wilde weer héél gemaakt worden, godverdomme! Hij had het ogenblik in mijn leven genomen waarop ik het meest zeker wist wat de zin ervan was. Het ogenblik waarop mijn leven zich opende, niet alleen voor mijn familie en vrienden, maar voor mij. Het ogenblik waarop ik besefte dat mijn leven aan mij geschonken was en dus mijn eigendom was. Hij nam dat ogenblik en brak het in duizend stukken. Hij maakte het smerig en slecht.

Seks maakte hem bang, zei Susannah.

Ja, zei ik, een man die voortdurend neukte en als hij niet neukte aan neuken dacht.

Hij was wel een hypocriet, zei Susannah. Dat zat hem dwars.

Maar niet genoeg, zei ik.

Hij probeerde het goed te maken met je. Toen mama en hij eindelijk wat erkenning voor hun werk en een beetje geld voor hun boeken kregen, stuurden ze ons allebei naar een goede school. We hadden nooit ergens gebrek aan.

Ik had gebrek aan liefde, zei ik. Aan vertrouwen. Aan een vader die niet door het lint ging alleen maar omdat ik orgasmes kreeg bij een leuke Mundo-jongen.

Hij dacht dat je in verwachting zou kunnen raken, zei Susannah.

Als hij ook maar iets belangrijks over de Mundo had geleerd, dan had hij geweten dat dat niet zou gebeuren. En al was het gebeurd, zou dat dan een ramp zijn geweest? Hij was een antropoloog die zich voor predikant uitgaf. In geen van beide beroepen wordt het je aangeraden de mensen te slaan van wie je het vertrouwen probeert te winnen. Het is net als de veroveraars die naar de nieuwe wereld kwamen en met trots vertelden dat ze het geloof met het zwaard hadden verbreid. Nou het geloof, het christendom, kán niet verbreid worden met het zwaard. Net zo min als liefde bevorderd kan worden door de vuist.

O, June, zei ze. Waarom laat je die dingen toch niet rusten!

Denk je dat ik het prettig vind? Die man heeft mijn leven verwoest, zei ik.

Nou, jij hebt geprobeerd mijn leven te verwoesten, zei ze boos.

Wat bedoel je? vroeg ik.

Probeer niet de onschuldige uit te hangen, zei Susannah, die er verhitter uitzag dan ik haar ooit had gezien. Je weet wat ik bedoel.

Ik wist inderdaad wat ze bedoelde.

Ik hield van papa, zei ze. Ik heb altijd van papa gehouden. Ik hield ook van jou. Maar door die ellendige dag in Mexico moest ik opeens tussen jullie kiezen.

Niemand heeft je gedwongen, zei ik.

Jij hebt me niet gedwongen, zei Susannah, je hebt het me gewoon nooit laten vergeten.

Het was iets afschuwelijks dat je zusje is overkomen, waarom zou je dat willen vergeten?

Maar hij was mijn vader, zei ze heftig. Ik hield van hem. Jij was degene die hem niet gehoorzaamde. Dat heb je je hele leven niet gedaan en dat vond je nog prettig ook. Ik ben hem nooit ongehoorzaam geweest. We konden het goed met elkaar vinden.

En door mijn sletterige gedrag ben je hem kwijtgeraakt, zei ik honend. Probeer je me die flauwekul te verkopen?

Je hebt me nooit laten vergeten dat ik bij een monster op schoot zat, zei Susannah.

Iemand moest je eraan herinneren, zei ik. Anders, voegde ik eraan toe, zou je je hele leven met grijnzen en hielen likken hebben verdaan.

Toen ik dat zei rolde ze haar ogen omhoog. Waar bemoeide je je mee? zei ze. Tegenover mij is hij nooit een monster geweest. Door jou ben ik mijn vader kwijtgeraakt. De ene helft van de liefde waarop ik recht had in deze wereld. Ze boog zich voorover in haar stoel en veegde haar tranen af. En hij was zo aandoenlijk, zoals hij mijn vriendschap probeerde terug te winnen, opnieuw mijn vertrouwen probeerde te wekken. Maar jij stond altijd klaar om tussenbeide te komen en op de tederste ogenblikken tussen ons te zeggen: 'Nee dank je, ik hoef niet'.

Die flauwekul van hem? Nee, die hoefde ik inderdaad niet, zei ik.

Maar het werd jou niet aangeboden, later niet meer tenminste, hij bood het míj aan. Jij hebt het onmogelijk voor me gemaakt te aanvaarden dat mijn vader van me hield, dat hij mij aanvaardde en vertrouwde.

Als je had aangerotzooid zoals ik, zou je gemerkt hebben hoe weinig hij gaf om je liefde en je vertrouwen, zei ik.

Nou, zei Susannah, je kunt het geloven of niet, maar ik had ook een liefdeleven en daar wist hij van. Toen we in Sag Harbor woonden en ik op de middelbare school zat. Hij is niet een keer tegen me tekeer gegaan. Hij heeft niet een keer gezegd dat ik iets verkeerds deed. Hij heeft me apart genomen en met me gepraat over anticonceptie, net zoals iedere liefhebbende vader zou doen.

Dit had ik nooit geweten. Het kwam verschrikkelijk hard aan.

Maar zelfs dat was niet voldoende om de gespannen emoties rond seks te verminderen zodat ik weer op een ontspannen manier met hem zou kunnen omgaan, zoals het was vóór dat afschuwelijke moment in Mexico.

Hij was een bruut, een hypocriet, een leugenaar. En mama was zijn spion, zei ik.

Hoe kun je zoiets zeggen? zei Susannah.

Ze had van hem af moeten gaan na wat hij me had aangedaan.

Maar June, zei ze, ze hield van hem. We vormden een gezin. Waar had ze in vredesnaam met haar verdriet heen gemoeten als ze hem verliet?

En mijn verdriet dan?

Terwijl ik dit zei, beleefde ik de ogenblikken weer waarop ik door mijn vader in de kleine witte kamer in Mexico geslagen werd. Het was heel warm en broeierig geweest. Een boomtak overwelfde het open raam, een vogel was traag langs de hemel gevlogen. De zilveren schijfjes op de riem van Manuelito maakten moeten in mijn huid. Er was bloed. Ik dacht er alleen maar aan niet te huilen. En hoezeer ik mijn vader haatte omdat hij me, te snel, dwong mijn prille herinnering aan de liefde te laten varen.

Ik begon te schreeuwen.

June, Magdalena, hoorde ik mijn zusje tegen me roepen. Ik was recht voorover in de tunnel van mijn eigen keel gedoken. Ik bestond alleen maar uit geschreeuw. Ik schreeuwde en schreeuwde en schreeuwde maar. Er was gebons op de deur. Er waren sirenes. Er waren vreemde mensen in de kamer. Ik schreeuwde. Ik wierp me met mijn volle gewicht overal tegenaan en brak alles in mijn woonkamer waarmee ik in aanraking kwam. Ik voelde de trillende keel van mijn zusje in mijn handen, voelde haar sierlijke hoofd tegen de muur slaan, zodat de lijst van een foto die achter haar hing brak – een foto van ons tweeën, met de armen van onze ouders, liefhebbend en veilig, om ons heen geslagen. Terwijl haar knappe gezicht zo grauw als as werd, tilde ze haar arm op om haar gezicht tegen mijn tanden te beschermen en ik beet erin tot op het bot. Er was een stekend gevoel in mijn schouder. Ik liet Susannah's keel los en viel als een blok neer. Magdalena, June, MacDoc, Mad Dog had zich gewroken.

HET GEDRAG VAN EEN DOLLE HOND

Toen ik met een suf hoofd in het ziekenhuis wakker werd, gaf ik nergens meer om. Ik dacht aan mijn studenten. Was het niet onzinnig dat ik ze drie à vier jaar van hun leven les gaf maar dat ze mij nog steeds niet kenden? Dat ik hen niet kende? Dat ik hun ouders wellicht maar een of twee keer in mijn leven zou ontmoeten. Bij hun onecht aandoende diploma-uitreiking misschien. Wat leek het me bespottelijk! Ik hielp ze bij hun haast om volwassen te worden en deel uit te maken van een wereld die langzaam maar zeker een puinhoop werd. Altijd al een puinhoop was geweest. Geld was de god van de cultuur waarin ze geboren waren, en waarin ze hun sjacherende leven zouden leiden en eindigen. Ik wilde er niets mee te maken hebben.

Ik dacht aan mijn moeder. Toen ze op sterven lag, ging ik vaak bij haar op bezoek en dan las ik haar voor. Als ze indommelde, hield ik op met lezen en keek naar haar gezicht. Ik probeerde me te herinneren hoe het voelde om van haar te houden. Want vanaf het moment dat ze mij in de steek liet had ik niet meer van haar gehouden. Er waren ogenblikken van tederheid en genegenheid tussen ons. Maar ik zou niet voor haar door het vuur zijn gegaan, zoals ik wel gedaan zou hebben voordat ze zich door mijn vader liet neuken tot ze weer goed bij hem onder de plak zat. De kanker verwoestte haar en beroofde haar van het weelderige lichaam dat ze als een vaandel had meegevoerd. Een vaandel waarop stond: *Natie van de vrouw veraanschouwelijkt. Knielt neer, man.* Maar zelfs toen ze op sterven lag, met een lichaam waarvan niet veel meer over was, zat mijn vader daar, met zijn handen op haar platte borsten, zijn handen op haar hielen, zijn handen op haar benige knieën. Zijn handen op haar kont. Het maakte me razend.

Waarom had ik aan het kortste eind getrokken? Kwam het, zoals Susannah eens tegen me zei, doordat het me zo goed gelukt was mijn hart te ongevoelig te maken dat het nu niet meer werkte, hoe graag ik het ook zou hebben gewild? En gebeurde dat met je als iemand je hart brak en je met alle geweld wilde dat het gebroken bleef, alleen maar om die ander te straffen?

De dokter kwam de kamer in terwijl ik aan Susannah lag te denken.

Hoe voelt u zich, mevrouw Robinson? vroeg hij, een blik op mijn kaart werpend.

Hij zag eruit als een kind dat doktertje speelde.

U zou tenminste een snor moeten tekenen, zei ik.

Wat zegt u? vroeg hij.

U ziet er zo jong uit, zei ik.

Ik ben dertig jaar, zei hij. Oud genoeg om te weten wat ik moet doen.

Maak het nou, zei ik.

Hij keek me vragend aan.

Niemand is ooit oud genoeg om te weten wat hij moet doen.

Hij lachte.

Hoe gaat het met mijn zusje? vroeg ik.

Nou, u heeft haar arm er niet helemaal afgebeten, zei hij, maar u bent wel tot op het bot gekomen. Ik heb nog nooit zoiets gezien, zei hij.

Het gedrag van een dolle hond, zei ik.

De andere mevrouw Robinson, uw zuster, heeft uitgelegd dat u heel gespannen was, dat u pas een dierbare vriend had verloren.

Manuelito. Ik had niet meer aan hem gedacht. Nu dacht ik aan de manier waarop zijn rug in het water glinsterde als we in de ondiepe riviertjes van onze bergen speelden. De sierlijke vorm van zijn middel. Zijn lange, overwegend steile maar enigszins golvende haar. Zijn oprechte ogen. Bekoorlijke neus. Witte tanden. Dit kloteland had dat allemaal kapot geschoten, dacht ik. En het toen met een stel goedkope medailles weer aan elkaar gemaakt en het de straat op geschopt. De klootzakken!

Ik begon te snikken.

De zuster zal uw medicijnen brengen, zei de dokter, die haastig op de deur afliep. Hij was blijkbaar een van die westerse wonderdokters die alleen raad wist met het stukje vlees van zijn patiënt waarin hij zat te porren en niet wist wat hij beginnen moest als het hele geval begon te huilen.

Tegelijk met de zuster kwam Susannah binnen, haar gezicht onder de blauwe plekken, haar arm in een mitella.

Hoe gaat het? vroeg ze.

Heb ik je dat blauwe oog geslagen? vroeg ik.

Ja, zei ze. En je hebt in mijn arm gebeten tot helemaal op het bot.

Ik heb het niet met opzet gedaan, zei ik.

Dat dacht ik ook niet. Nou ja, je hebt me niet gewurgd. Daar ben ik blij om.

Weet je nog dat ze vroeger vaak verhalen schreven over zwarte mensen die opeens gek werden en iemand vermoordden; en dat ze dat altijd 'de kolder in het hoofd krijgen' noemden? Nou, nu hebben we zelf gezien hoe dat kan gebeuren.

Ik heb nog nooit iemand zo horen schreeuwen als jij, zei Susannah. Het was een geschreeuw dat rechtstreeks uit de hel kwam.

Zo voelde het ook, zei ik. Alsof het vanbinnen al duizend jaar lang aan het aanzwellen was. Ik kon het niet verdragen dat ze wel van jou hielden en niet van mij.

Manuelito hield van je, zei mijn zusje zuchtend.

Dat is de werkelijke reden waarom ik schreeuwde, zei ik. Ik wist hoe het voelde als je bemind werd, maar vanwege een of andere godsdienstige flauwekul die ik niet eens onderschreef, en die me door mijn eigen vader werd opgedrongen, die er eigenlijk ook niet in geloofde, was dat gevoel uit mijn leven verdwenen.

We gingen weg uit de bergen, zei Susannah, je zou Manuelito toch zijn kwijtgeraakt.

Klein zusje van me, zei ik, maak nou niet dat ik ook nog in je andere arm bijt.

Je hebt gelijk, zei ik, dat slaat nergens op.

Weet je wat ik denk? vroeg ik.

Wat dan? zei ze.

Ik denk dat je van sommige dingen nooit hersteld. In ieder geval niet in dit leven.

We zouden kunnen proberen elkaar te helpen, zei Susannah. We zouden elkaar beter kunnen maken.

Hoe dan? vroeg ik. Ik ben vastgeroest in mijn manier van leven. Verknocht aan mijn gewoontes. De voornaamste gewoonte die ik heb is de man verachten die me het leven heeft gegeven.

Dat is eenvoudig, zei Susannah. Probeer je de vader voor te stellen van wie ik houd, en waaróm ik van hem houd. Waarom mama van hem hield. Waarom jij van hem hield voor hij je vernederde. Beperk hem niet tot dat ene moment. Hij was een mens, zoals jij en ik. Je hebt me net gewurgd en een stuk uit mijn arm gebeten, maar nu lig je erbij alsof je er spijt van hebt. Is dat zo?

Ik dacht erover na.

Vooruit, zei Susannah, wees niet zo'n kreng. Heb je er geen spijt van?

Ja, zei ik.

Dan hoef ik niets meer te zeggen.

Maar het is niet hetzelfde, zei ik.

Natuurlijk wel, zei ze.

Ik was nog een kind.

Maggie, alsjeblieft, vergeef het die klootzak nou maar.

Daar moest ik om lachen.

Herinneringen zijn zo zwaar

Mevrouw Robinson, zei mijn jonge dokter, het belangrijkste is dat u moet afvallen.

Maar mijn herinneringen zijn zo zwaar, dokter, zei ik.

Het is niet onmogelijk, zei mijn zusje, die aan het voeteneind van mijn bed zat. Ik ga met je mee naar huis en blijf een paar dagen. We beginnen samen aan je nieuwe leven.

Susannah, zei ik, van je goedheid word ik nou juist zo misselijk.

Ze glimlachte.

Jammer dan, zus. Ze wendde zich tot de dokter. Hoeveel moet ze afvallen?

Als ze een paar honderd pond kwijtraakte zou ze zich een stuk beter voelen, zei hij. Haar meubels zouden ook een stuk vrolijker zijn.

Heel grappig, zei ik. Wat jullie geen van beiden beseffen, ging ik verder, is dat dik zijn een doel heeft. Als ik dik ben voel ik me machtig, alsof ik helemaal niets meer nodig heb.

Ja, zei Susannah, en je vindt het prettig om op straat mensen uit de weg te duwen.

Wat moet ik eten als ik tweehonderd pond af wil vallen, vroeg ik me peinzend af.

O, van alles, zei de magere jonge dokter. Mijn vrouw

kookt dingen waar haast geen vet in zit.

En wat kookt u voor haar? vroeg ik.

Ik kook niet, zei hij.

Waarom blijft ze dan bij u?

Let maar niet op haar, dokter, zei Susannah, met haar glimlach uit een tandpastareclame, waarbij ze haar volmaakte kleine tanden toonde. Ze is altijd een ouwe zeur geweest.

En zeuren deed ik, de hele week dat ze bij me bleef en over worteltjes en klysma's babbelde. Zodra ze vertrokken was, gooide ik de sapcentrifuge weg die ze had gekocht en haalde mijn eerste, flink met vet dooraderde, dikke biefstuk uit de diepvries en stampte mijn eerste berg, royaal met boter vermengde, aardappels fijn. Nam mijn eerste borrel. Het was alsof mijn herinneringen in mijn cellen zaten en gevoed moesten worden. Als ik afviel zouden mijn herinneringen aan Manuelito en mijn boosheid op mijn vader misschien langzaam verdwijnen. Ik voelde me al zo verlaten, dat ik niet wilde dat deze dingen ook weg zouden gaan.

SLECHTE VROUWEN ZIJN NIET DE ENIGE VROUWEN

Mijn zusje gaat met Jan en alleman naar bed, zei ik tegen haar geliefde, Pauline.

Ze keek verbaasd.

Heeft ze altijd gedaan, zei ik, al zou ik, toen we nog jong waren, nooit gedacht hebben dat ze zelfs maar van seks hield. Maar ze vindt het lekker.

Pauline haalde haar schouders op. Slechte vrouwen zijn niet de enige vrouwen die van seks houden. Het is bekend dat fatsoenlijke vrouwen er soms ook pap van lusten. Maar jouw zus is degene op wie ze verliefd is volkomen trouw. Ze is zo monogaam als een priester.

Een huwelijk met de kerk zou haast net zo geschikt voor haar zijn als het schijnbaar voor die bedriegers is, zei ik.

Neem maar van mij aan dat priesters meer rotzooien dan je zus.

Mijn vader vond me een hoer, zei ik. Maar ik heb in mijn hele leven maar één man gehad. Ik heb hem nooit bedrogen.

Dat zou ik niet willen beweren, zei Pauline.

Wat bedoel je?

Ik zou zeggen dat je hem wel bedroog, met eten.

Ik wendde mijn hoofd af.

Je zusje wordt verliefd. Punt uit. Ik geloof dat ze met

moed, met dapperheid verliefd wordt, hoewel ze bang is dat het haar daaraan ontbreekt. En het kan op iedereen zijn. Ze schijnt niet eerst naar de plek van de genitaliën te kijken. Vrijen komt daarna pas, niet daarvoor. Haar partner is ze trouw. Volstrekt trouw. Als dat niet zo was, zou ik niet bij haar zijn.

Hoe weet je dat? Dat ze je trouw is? vroeg ik.

Pauline grinnikte. Ik ben goed van vertrouwen, zei ze.

Onze vader hield van haar, zei ik, hij heeft nooit van mij gehouden.

Dan moet hij erg in de war zijn geweest, zei ze.

Ze had kort, rechtopstaand, zilverkleurig haar. Openhartige, donkere ogen. Een slank, welgevormd lichaam – gehuld in een zwarte spijkerbroek en een donkerrood t-shirt – dat leeftijdloos en aantrekkelijk was. Ik begreep waarom mijn zusje verliefd op haar was.

Ze was een vrouw die niet toeliet dat je ergens omheen draaide. En zelf zou ze er ook niet omheen draaien.

Ik voelde een bekende vlaag van afgunst tegenover Susannah. Zo'n braaf tutje haar hele leven en dan toch zo'n pittig mens aan de haak slaan!

Mijn vader was ook in de war, zei Pauline zuchtend, lusteloos bijna. Mijn vader was erg moe en in de war. Hij moest doen alsof hij alle tien kinderen die hem aan een tafel in een slachthuis geketend hielden graag wilde.

Waarom hadden je moeder en hij zoveel kinderen? vroeg ik.

Ze dachten dat het zo hoorde als je christelijk was, zei ze. Ze dachten dat als ze iets deden om de geboortes te voorkomen, God hen streng zou veroordelen. Maar ik kan me niet voorstellen dat hij ze nog strenger zou kunnen veroordelen dan hen met tien kinderen in een vierkamerwoning te laten wonen.

Leeft hij nog? Spreek je met hem?

O, ja, zei Pauline. Zoals hij nu is heb ik hem nooit gekend. Een man die het betreurt dat zijn kinderen zijn opgegroeid zonder te weten wie hij werkelijk was. Die het weer goed wil maken. Een gezellige vent eigenlijk. Grappig en oud. Je kent het type wel.

Maar al te goed, zei ik. Rotzakken.

Je zult ze uiteindelijk weer aan je hart moeten drukken, zei ze. Wat ze ook gedaan hebben.

Over mijn lijk, zei ik.

Wie weet, zei ze, terwijl ze me strak aankeek.

Mijn moeder is gestorven omdat ze zoveel kinderen had gebaard, zei ik tegen Susannah.

Dit gedeelte van mijn trieste levensverhaal vindt ze altijd het moeilijkst om aan te horen. Het is precies zoals het met sprookjes is. Het droevigste gedeelte is altijd als de moeder sterft, wat meestal in het begin van het verhaal gebeurt. We zijn altijd blij dat ze in het begin doodgaat, omdat we het zo moeilijk vinden om haar te verliezen. We hebben veel liever dat haar dood voorbij is dan dat hij nog in het verschiet ligt, als we onze bestemming tegemoet gaan. Maar ik had er schoon genoeg van om te wachten tot er thuis iets zou veranderen en ging mijn bestemming tegemoet voordat mijn moeder stierf. Ik weet niet of ze het me ooit heeft vergeven; mijn broers en zusjes hebben gezworen van niet. Als haar dochter heb ik zielsveel van haar gehouden en het heeft me veel verdriet gedaan te horen dat ze het me tot aan het eind van haar leven kwalijk heeft genomen dat ik haar in de steek heb gelaten.

———

Ze begon haar lichaam te haten, zei ik tegen Susannah. Het was dubbel zo vruchtbaar als ze wilde. Met vijf kinderen zou ze nog enige vrijheid hebben gehad. Dan had ze uiteindelijk weer op adem kunnen komen. Maar met tien was dat onmogelijk.

Je kunt het je zelfs nauwelijks voorstellen, zei Susannah.

Ja. Het was duidelijk dat ze nog met elkaar naar bed gingen, zei ik, want er was altijd een baby op komst. Maar de eerste keer dat ik seks met een vrouw had, de eerste keer dat ik ervan genoot of zelfs maar kon bevatten waarom er zoveel ophef over seks werd gemaakt, vroeg ik me af of mijn moeder ooit echt genoten had. Of ze zich ooit had kunnen laten gaan, zeg maar, zonder dat ze zich zorgen maakte over weer een mond die gevoed moest worden. Ik zou het vreselijk vinden als ik wist dat ze er nooit echt van genoten had, zei ik.

Maar dat is heel goed mogelijk, zei Susannah. Overal ter wereld zijn vrouwen zo gehersenspoeld dat ze denken dat seks voor hen niet prettig hoort te zijn, alleen voor de mannen die hen neuken. Er wordt van je verwacht dat je stilletjes van hun genot meegeniet. Wat een klerezooi, hè?

Susannah was zo'n dame, zo netjes, zo elegant gekleed, met precies de juiste kleuren die bij elkaar pasten, de juiste stoffen voor het seizoen, de juiste schoenen. Ze kon keurig de tafel dekken en wist waar ieder mes en ieder lepeltje hoorde te liggen. Daarom was het altijd een schok om haar te horen vloeken. Wat ze met dezelfde nonchalance deed als waarmee ze de bloemist om een verrekt mooie bos bloemen vroeg.

———

Dat zei Gena ook. De vrouw die me probeerde te helpen een aborteur te vinden. En die mijn geliefde werd nadat de baby was geboren.

Ach ja, Gena, zei Susannah, terwijl ze haar zijden sjaal over haar neus trok.

Ze was mijn docente. Ze dacht dat ik iets van mezelf zou kunnen maken. Ze probeerde me te helpen en liet me bij haar thuis studeren. Vanaf het eerste ogenblik spraken we veel over seks omdat ik bijna van niets wist, ook al was ik hoogzwanger. Door erover te praten en haar te horen vertellen waarom het voor haar belangrijk was en waarom haar kinderen haar aan twee heel bijzondere nachten herinnerden, raakte ik erin geïnteresseerd.

Je wist echt van niets, zei ik.

Hoe had ik iets kunnen weten? Ik wist natuurlijk wel hoe het in zijn werk ging, maar niets van dat heerlijke gevoel van ontluiking bij een lekkere vrijpartij. De manier waarop je opengaat en vochtig wordt, en je verbonden en verzoend voelt met het leven. Voor Winston was seks een spelletje dat hij speelde en ik was de pion, en dat vond hij prima.

Bah, zei Susannah. Goddank heb ik nooit zo'n minnaar gehad. Man óf vrouw.

Je hebt geluk gehad, zei ik. Want je krijgt het gevoel dat je niets waard bent.

En Gena was geen, hoe zal ik het zeggen, donker gekleurde zuster?

Nee, zei ik lachend. Ze was blank. De dochter van Oost-Europese immigranten die zo racistisch waren alsof ze hier geboren waren. Maar zij was anders. Ze was getrouwd en had zelf kinderen; ze wilde dat zij zouden leren dat zigeuners – die de nikkers van het moederland waren – en mensen met een donkere huid niet slecht waren. Ze probeerde me voor te bereiden op de bevalling.

Het is een zware klus, zei ze, onderschat het niet. Maar ik onderschatte het ook niet, want ik wist wat al dat baren in mijn moeders lichaam had aangericht; ik kon de gedachte gewoon niet verdragen dat het nu mij zou overkomen. Ik hield van sport. Ik speelde graag basketbal en voetbalde zelfs graag met de jongens. Dat deed ik nog toen ik acht maanden was. Ze zei: 'Lily Paul, dat kun je niet blijven doen; je hebt een buik van hier tot ginder.'

Maar ik keek er anders tegenaan. Ik had er geen baby in gestopt, naar mijn idee, dus ik wilde wel eens zien of er een uit durfde te komen.

Heel logisch, zei Susannah glimlachend.

Niet echt, dat weet ik nu. Soms zie ik jonge zwangere vrouwen het restaurant binnenkomen. Ze gedragen zich precies zoals ik toen. Alsof ze nog steeds de macht over hun eigen lichaam hebben, alsof er niets in hun wereld veranderd is. Ik weet niet wat ik dacht dat er zou gaan gebeuren. Gena's man, Richard, stelde me vaak vragen over de baby: hoe ga je het kindje noemen, waar gaat het slapen, heb je een wieg? Ik had natuurlijk niets, alleen het bed dat ik met twee zusjes deelde. En wat een naam betreft, er was niemand om wie ik zo veel gaf dat ik er een kind naar wilde vernoemen. Toen het zover was, noemde ik mijn zoon Richard, aangezien hij, behalve zijn vrouw, de enige persoon was die naar hem gevraagd had.

En is Richard er ooit achter gekomen, van jou en zijn vrouw?

Dat weet ik niet. Van mij heeft hij het niet gehoord, dat staat vast. Misschien heeft Gena het hem verteld. Maar ik zou niet weten waarom. Ze is nooit bij hem weggegaan en heeft altijd volgehouden dat hij een goeie vent was. Dat was ik met haar eens. Bovendien was onze verhouding niet zo'n affaire waarover je in *Playboy* zou lezen. Onze relatie had een ongelooflijk bemoedigend karakter, met het soort tedere seks dat bedoeld leek om me weer met mezelf in aanraking te brengen en mijn levenslust te stimuleren, maar wel zo hartstochtelijk dat ik leerde wat orgasmes waren. En toen ik eenmaal wist dat ik een orgasme kon krijgen, en moeiteloos bovendien, besefte ik dat ik tenminste op één gebied vrij was.

Susannah streek vol medeleven over mijn knie. Dat is een idee dat je niet vaak hoort, zei ze.

Dat weet ik, zei ik, omdat het begrip persoonlijke vrijheid voor slaven (en ik beschouwde mezelf als een slaaf) altijd als geestelijke vrijheid is geïnterpreteerd. Dat is het soort vrijheid dat mijn ouders me probeerden aan te praten. Toen ik zelfmoord probeerde te plegen en vergeefs mijn polsen doorsneed, sleepten ze me mee naar de kerk. Maar ik vertrouwde ze inmiddels niet meer. Niets wat zij me konden bieden zou mijn belangstelling hebben gewekt. En de vroomheid van hun godsdienst nog het minst.

Ik zat op de tweede bank naar de predikant te kijken en vroeg me af wat hij van orgasmes afwist en of hij ze regelmatig kreeg. Of hij de vrouwen die tijdens zijn kerkdienst vaak kreunden en steunden en flauwvielen in bijbelse zin bekende. Ik weet nu zeker van wel, zei ik.

Orgastische vrijheid, met iedere vrouw die ze wilden neuken, is sinds het begin van het patriarchaat het recht van de man geweest, zei Susannah.

Het is een heel grote vrijheid, zei ik. Toen ik haar eenmaal ervaren had, voelde ik me als herboren. Als

Winston nu boven op me lag te bonken, verbeeldde ik me dat ik een kasteel was met een dikke ijzeren poort waartegen zijn miezerige lid niets kon uitrichten. Bij Gena daarentegen ging ik na één kus, na het kleinste, vederlichtste zuchtje, open als een roos. Het was toverij en ik popelde van verlangen om erachter te komen of anderen die ik kende het ook zo beleefden.

En was dat zo? vroeg Susannah.

In de meeste gevallen niet, zei ik. Wat me verbaasde. Getrouwde vrouwen die ik er aarzelend naar vroeg voelden het niet. Mijn oudere zusjes voelden het niet. De dochters van mijn buren voelden het niet. Enzovoort. Ze verlangden ernaar, ze hunkerden ernaar, ze vroegen en smeekten erom, ze luisterden naar liedjes die het beschreven en beloofden, maar over het algemeen was orgastische vrijheid niet iets waarvan je kon aannemen dat iedere fel opgemaakte, zinnelijk geparfumeerde vrouw die over straat liep er ervaring mee had. Dit was een openbaring. Dat ik, die maar doodgewoon was, op de een of andere manier dit waardevolle bezit had. Ik begreep onmiddellijk wat dit betekende. Het betekende dat ik niet door de schepping vergeten was; het betekende dat er op een hartstochtelijke, onmetelijke manier van me werd gehouden. Ik begon meteen mijn ontsnapping te beramen.

Wat voor cakes maakte je het eerst? vroeg Susannah.

Citroencake, zei ik. Het geel van de citroen maakte me vrolijk en deed mijn klanten aan zonneschijn en een beter leven denken. Je weet nog wel dat mijn deur ook geel was geschilderd. Na de citroencake maakte ik Schwarzwalder chocolade-met-karamelcake, wat van oudsher een lievelingsgebak is onder de mensen uit het zuiden.

En je taarten?

Bessen, zei ik. Yams. Ik had alles wat ik moest weten geleerd door mijn moeder gade te slaan, maar ook van Gena, die me kookboeken liet zien. In het begin, toen onze verhouding nog vurig en heftig was, hielp ze me met bakken. Mijn kleine broertjes waren mijn verkopers en verspreidden zich iedere dag na school door onze buurt. Dit was voor de invoering van drugs die zo verkocht werden. Ik betaalde ze een dubbeltje voor iedere cake die ze verkochten; ik betaalde mijn moeder voor het gebruik van haar fornuis. Ik moest alle ingrediënten van het geld kopen dat ik met babysitten verdiende. Maar evengoed nam mijn winst langzaam toe.

Susannah lachte. Een geboren kapitaliste!

Nee, zei ik. Een geboren overlever. Gena hoorde over een programma voor trage leerlingen die naar de universiteit wilden en daar gaf ze me voor op; het was in een ander deel van de stad. Ik was geen trage leerling, maar zo ver achter met mijn leerstof dat het op hetzelfde neerkwam. Het programma was het enige dat me van de straat hield. Ik vond een baantje als kinderoppas bij een jong werkend echtpaar en ging 's avonds naar school. Binnen een paar jaar zat ik op het City College. Op de universiteit volgde ik economisch en administratief onderwijs. Tenslotte studeerde ik af, ging bij de marine, zwaaide af, werkte in eethuizen en kocht mijn eerste restaurant. De rest is, zoals ze zeggen, ouwe koek.

Bij de marine, zeg ik tegen Susannah, raakte ik er absoluut van overtuigd dat ons land tot ondergang is gedoemd.

Hoezo? vraagt ze, ook al hebben we mijn militaire loopbaan vele malen besproken.

In het leger bestaat er geen respect voor vrouwen. Geen enkel respect voor wat vrouwelijk is. En geen respect voor wie niet blank is. Het is alsof de wereld alleen maar voor het plezier van blanke mannen is gemaakt, en zo gedragen ze zich ook. Ik voelde me volkomen onveilig te midden van de mannen die aangewezen waren om ons land te beschermen. Een aantal van hun orgieën en verkrachtingen zijn inmiddels bekend geworden, hoewel veel van hun meer verachtelijke daden nooit openbaar zullen worden gemaakt. Ik heb geluk gehad dat ik er levend vandaan ben gekomen.

En hoe heb je dat klaargespeeld?

Door romans te lezen, naar de film te gaan, wanneer ik de kans maar kreeg, en plannen te maken voor de toekomst van mijn zoon. Mijn zoon, die dacht dat hij mijn broer was, want dat hadden ze hem verteld toen ik vertrokken was.

Lily Paul

Mijn man, Petros, was verantwoordelijk voor mijn eerste bezoek aan Lily Paul, een chic, organisch-biologisch restaurant waar Afro-Amerikaans voedsel werd geserveerd; hij had er van vrienden over gehoord.

Je zult niet geloven wat ik gevonden heb, zei hij.

Is het groter dan een broodtrommel? vroeg ik lachend.

Ja, zei hij, veel groter.

En dat was het.

Het interieur van Lily Paul was één en al varens en vergulde spiegels en kroonluchters en parketvloeren. Maar op iedere tafel lag hetzelfde zeiltje met koolrozen dat op de tafel van zijn ouders in Griekenland lag en waarvan een vierkantje keurig ingelijst aan mijn muur hing.

Ik lachte toen we gingen zitten.

Is dat een verrassing of niet! zei hij, glunderend van plezier om mijn blijdschap.

Het is fantastisch! zei ik, terwijl ik hem lachend aankeek.

Misschien zou deze avond eindigen zoals onze avonden vroeger eindigden, dacht ik. We zouden lekker eten, een à twee flessen wijn drinken, elkaar over de druipende kaars toelonken en onder tafel met onze schoenen uit voetje wrijven. Elkaar omarmen als we het restaurant uit gingen. De hele nacht vrijen. Het was belangrijk dat dit zou gebeuren. We hoopten vurig dat het zou gebeuren. Maar het gebeurde niet.

Wat wilt u gebruiken? vroeg een sexy vrouw met rechtopstaand zilverkleurig haar.

Mijn vrouw, antwoordde Petros.

Geen slechte keus, zei de vrouw grijnzend.

De glimlach verdween onmiddellijk van Petros' gezicht. Maar de vrouw en ik behielden onze vrolijke stemming.

Halverwege de maaltijd, die verrukkelijk was, vond ik het niet meer dan beleefd om haar voor het eten te bedanken en mezelf officieel aan haar voor te stellen. Hoe heet u? vroeg ik.

Ik heet Lily Paul, zei ze. Ik ben de eigenaresse van deze tent.

O, zei ik, geïmponeerd. Ik ben Susannah Robinson en dit is mijn man Petros.

Hoe maakt u het, zei ze.

Het ging niet goed met hem. Er leek een sluier over zijn gezicht te zijn gevallen.

Wat is er? vroeg ik, toen Lily Paul wegliep om onze rekening op te maken.

Potten! zei hij. Hun brutaliteit beneemt me de eetlust.

Denk je dat ze een pot is? vroeg ik. Waarom denk je dat?

Hij rolde met zijn ogen. Maak het nou, Susannah, zei hij. Moet je zien hoe ze zich gedraagt.

Lily Paul liep op haar gemak naar onze tafel terug, glimlachend en een praatje makend met klanten die haar onderweg staande hielden. Haar zilveren haar glinsterde onder de lampen. Ze ziet eruit alsof het haar geen moer kan schelen wat anderen van haar denken, zei ik terwijl ik haar opnam. Is ze daarom een pot?

Ach, houd je mond, zei hij. Toen vriendelijk en met een brede grijns tegen Lily Paul: Mooi restaurant heeft u.

Ze stopte me onopvallend haar visitekaartje toe en gaf hem geen antwoord.

Twee weken later belde ik haar op.

Hoe gaat het met je? vroeg ik.

Ik heb vreselijk last van die rotovergang, was haar onomwonden antwoord.

O, zei ik, wat zijn de symptomen? Ik hoopte dat ik geen triest verhaal te horen zou krijgen over een verminderde geslachtsdrift.

De bekende verschijnselen, zei ze, opvliegers, schele hoofdpijn, wispelturige buien, lichamelijke klachten en pijntjes. O, zei ze, en mijn vriendin heeft niet zo vaak zin in seks als ik.

Ik fleurde op. Zal ik langskomen, zei ik, en je hoofdhuid masseren? Ik heb gehoord dat dat helpt.

Mijn hoofdhuid behoort momenteel aan mijn vriendin toe, net zoals ik zeker weet dat jouw vingers in veilige bewaring van je knappe man zijn. Hij is knap, weet je. Maar wel een beetje een patser, vond ik.

Dit was zo'n treffende beschrijving van Petros dat ik moest lachen.

Je hebt een leuke lach, zei ze. En je hebt een verrekt mooie hals, dat staat vast.

Ik houd van je zilveren haar, zei ik.

Dan hebben we twee plaatsen om te beginnen, zei ze.

Wat bedoel je? vroeg ik.

Als we vrijen, zei ze, hebben we twee plaatsen om te beginnen: mijn haar en jouw hals.

En dat is wat we twee weken later deden.

MIRRE

Beste lievelingstoerist, begon de brief. Hij was geschreven op het dunste vloeipapier, blauw, met langs de ene kant ervan een dunne, bijna doorzichtige rode lijn. Het rook naar mirre.

Ik schrijf je omdat je zo vriendelijk bent geweest me je adres te geven en ook omdat het waar is: van alle toeristen die door de jaren heen de Griekse dwerg een bezoek hebben gebracht, en stiekem hun neus in een misère hebben gestoken die ze niet begrijpen, ben jij mijn lieveling. Komt het doordat je zo bruin bent en zo lang? Doordat je haar in je nek is opgerold als het haar van een Griekse godin? Of komt het doordat je iemand van ver weg was die zich uit vrije wil met het onbekende, met mijn arme vaderland en mijn arme landgenoten verenigd heeft? Doordat je me niet een keer, of zelfs twee keer, zoals echte toeristen doen, maar iedere dag hebt opgezocht tot je naar huis, naar Amerika ging? Doordat we vrienden zijn geworden?

Amerika. Is dat niet waar iedereen graag wil zijn? En is het niet het paradijs?

Op dit punt nam Susannah een slokje van haar Campari, schopte haar hoge hakken met hielbandje uit, liet haar zijdeachtige zwarte jurk van een van haar diep gebronsde schouders glijden en zei bij zichzelf, terwijl ze op een rieten stoel in de serre ging zitten: nee. Nee, Amerika is niet het paradijs. Maar deze serre wel.

Ik schrijf je om je ongelooflijk nieuws te vertellen, ging de brief verder. Ik ben weg uit mijn huis, uit de kerk! Het is op een manier gegaan die ik nooit gedacht heb. Weet je nog dat ik over zigeuners zat te dagdromen? Over pygmeeën ook, maar vooral over zigeuners. Nou, door een speling van het leven, zijn al mijn broers, aan wie mijn vader zijn enorme vermogen heeft nagelaten, gestorven. Nou ja, het waren oude mannen en het was hun tijd. Ik kreeg niets van zijn erfenis, omdat ik aan de kerk gekluisterd was. Pas als ze allemaal, alle zeven, gestorven waren, zou ik iets erven. Ze verwachtten niet dat ik zo lang zou leven, maar ik bleef leven. En daar zat ik dus op een dag, te niksen op een berg geld, toen er een zigeunerkaravaan langskwam. Dit soort karavanen, een lange reeks kleine, vrolijk geschilderde, houten huisjes op wielen, was natuurlijk al eerder langs mijn woning getrokken, maar dat was in de jaren voor de oorlog. Tijdens de oorlog leek het alsof de zigeuners eenvoudig ophielden te bestaan. Wat de mensen van hen bijbleef waren de klusjes die ze deden, hun muziek en bonte, uitheemse kleren, of hun diefstal, leugens en bedrog, afhankelijk van met wie je sprak. Ik had dezelfde angst voor zigeuners als iedereen, want hun zwervende en ongeregelde bestaan werd, toen ik klein was, regelmatig in onze kerk veroordeeld. Dus sedert jaar en dag was ik mijn kamer ingedoken, had met kloppend hart mijn deur op slot gedaan en vanachter mijn rode gordijnen naar hen gegluurd. Maar ditmaal deed ik niets dergelijks. Ik ben nu toch zo oud, dacht ik, wat zou het uitmaken of ze mijn eten of mijn geld, of zelfs mij stalen. Ik luisterde naar de rinkelende belletjes aan de met rode kwastjes versierde teugels van hun paarden; ze leken uitnodigend te roepen. Ik begon me eerlijk gezegd te vervelen. Talen leren en de gezichten van mensen op de televisie bestuderen kun je in iedere gevangenis doen. Nadat ik mijn kleine pistool in een holster had gestoken dat onder mijn oksel paste, stapte ik voorzichtig naar buiten en maakte kennis met de meest uitzonderlijk geklede mensen die ik ooit had gezien. De mannen droegen zwarte vilten hoeden en geborduurde fluwelen vesten. De vrouwen droegen lange gebloemde rokken en gouden munten in hun lange haar. Ze schenen eigenlijk niet erg verbaasd toen ze me zagen. Ze legden uit dat ze een pelgrimstocht maakten die hun vroegere manier van leven nabootste. Dat ze de wagens van hun karavaan zelf gebouwd en geschilderd hadden en dat ze de liederen en muziek van hun voorouders die ze pas onlangs geleerd hadden nog aan het oefenen waren. De oudere vrouwen, van wie sommigen in de stad een beroep hadden – onderwijzeres, dokter, enzovoort – en ik waren elkaar al vlug de toekomst aan het voorspellen, de mannen waren houten lepels aan het snijden en pruimenwijn aan het drinken, waarvan ze mij ook een kopje aanboden, en de kinderen renden over het kerkhof rond en tekenden poppetjes op de witte stenen. Terwijl mijn oude ogen al deze onverwachte gebeurtenissen in zich opnamen, begon er nieuw leven in mijn oude botten te ontwaken. Ik wiegde op de maat van de gevoeligste zigeunermuziek; toen begon ik te dansen, onzeker eerst en daarna mijn eigen ritme vindend. Als je nog nooit hebt gedanst, en vooral als je nog nooit met anderen hebt gedanst, is het alsof je begint te vliegen. Ik pakte mijn rode gordijnen, die de zigeunervrouwen mooi vonden, en alleen een tas met mijn kleine kleren en een riem vol geld, sloot de deur van de kerk af en ging er met hen vandoor!

Eindelijk was ik zelf ook een toerist! En ik reisde met de mensen die al duizenden jaren toeristen zijn. Ze vertelden me dat ze niet meer als zigeuners bekend wilden staan, maar als Roma. Dat zij, net als andere Indiase stammen overal ter wereld, hun leven helemaal opnieuw begonnen door zichzelf een andere, nieuwe naam te geven. Maar ik zal de naam 'zigeuner' missen, zei ik; voor mij heeft hij altijd de betekenis van romantiek gehad. Ja, zeiden ze, maar voor de meeste mensen is hij synoniem met oplichterij.

Ik begreep het. 's Nachts reisden we het land door, overdag bleven we lang genoeg op één plaats om te koken en kleren te wassen en de toekomst te voorspellen op het dorpsplein. Zo ging het dag in dag uit. Tot ik begon in te zien dat het een zekere meedogenloosheid had. Waarom niet ergens op één plaats blijven? Al was het maar voor een seizoen. Ik vroeg het aan de mannen en vrouwen die ons aanvoerden. En toen kwam ik te weten dat men haast nooit heeft toegestaan dat zigeuners zich ergens vestigden. Ze trekken verder voordat ze verdreven worden. Dit was zowat het meest ontnuchterende en verontrustende feit dat ik ooit gehoord had. Ik begon heel somber te worden, voortrammelend in mijn bed met de rode gordijnen erop en luisterend naar de mooie liederen die mijn nieuwe vrienden zongen terwijl ze over de bekende wegen stapten. Ze leken helemaal niet op vogels, die vrij waren en altijd in een nieuwe richting vlogen, zoals ik had gedacht, maar meer op hamsters, die eeuwig hetzelfde pad volgden dat in hun geheugen was gegrift.

Ik keek naar de gezichten van de dorpelingen als we door hun straten trokken. Sommigen, de jongeren, vonden het prachtig om een groep mensen te zien die zo fantastisch donker, kleurrijk en ongewoon waren. Maar de gezichten van de oudere mensen maakten me bang. Het was alsof ze naar geesten keken. Velen van hen herinnerden zich vast en zeker nog dat ze 'hun' zigeuners naar concentratiekampen hadden gestuurd.

Op mijn leeftijd, en met mijn leven, zou je denken dat het gewenst is dat je een romantische levensbeschouwing verliest. Maar dat is niet zo, lievelingstoeriste. Ik denk dat de menselijke geest er behoefte aan heeft te geloven dat iemand ontsnapt is aan de algemene druk van het leven die doorgaat voor het mannelijke idee van de beschaving. Ik had gehoopt dat de zigeuners eraan ontkomen waren. Maar nee. Op een dag sprak ik met de joodse schrijfster die zoveel geriskeerd had toen ze hun verhaal aan het licht bracht. Ze had vrienden in onze karavaan en ze zei tegen me: 'Ach, niemand weet dit, en degenen die het misschien wel wisten, hebben besloten het te negeren, maar de zigeuners waren vierhonderd jaar lang slaven in Europa. Ze werden gekocht en verkocht, vernederd en geslagen en zelfs, bij wijze van tijdverdrijf, vermoord. Gedwongen te werken tot ze doodgingen.' En terwijl ze sprak, deze fantastische jonge geleerde, dacht ik: precies zoals het zwarte volk van mijn lievelingstoeriste! 'En daarom,' zei deze vrouw, 'zijn ze nog steeds zo

179

afgezonderd van ieder ander in Europa, meer nog dan de joden, zelfs na duizend jaar.' Ze zijn zo geïsoleerd en staan zo wantrouwend tegenover buitenstaanders, dat ze alle andere mensen vreselijk onrein vinden. Omdat het gedrag van anderen tegenover hen onrein is geweest en bijna altijd hun ondergang heeft betekend. De manier waarop zigeuners en de zwarte mensen in Amerika behandeld zijn is hetzelfde, hè, lievelingstoeriste?

Susannah legde de brief op haar dijbeen, zuchtte en keek uit het raam. Een roze Perzische roos groeide dichtbij de muur van de serre. Er kwam een heerlijk geur uit de tuin. Wat was het verschil tussen hen? vroeg ze zich af. Tussen de zwarte Amerikanen en de zwarte zigeuners? Of tussen de zigeuners en de Nunga's uit Australië? Of tussen de zigeuners en de volkomen uitgeroeide, oorspronkelijke bevolking van Tasmanië?

Sinds ik bij hen ben weggegaan, las ze verder, terwijl ze de geur van mirre opsnoof,

wat ik na een paar maanden heb gedaan, woon ik op een jacht, dezelfde boot die mijn vader gebruikte om vrouwen uit alle werelddelen op te halen. Ik haal niemand op maar ga zelf aan land. Ik heb mijn neus in ieder land gestoken dat aan de zee ligt. Ik heb een half jaar bij de kleine mensen van het regenwoud in Afrika gewoond, die net zo groot zijn als ik, hoewel ze uiterlijk niet echt op me lijken. Maar desondanks wensen ze me te beschouwen als een grootmoeder, of misschien een overgrootmoeder, die naar hen is teruggekeerd.

Maar waar ben ik dan geweest? vraag ik hen.

Ik vind het enig om hen dit te vragen, omdat ze zich geen voorstelling van mijn leven kunnen maken. Ze vinden het leuk om de foto's te zien die ik van mijn boot heb meegebracht, maar ze kunnen zich moeilijk voorstellen dat ik ermee reis. Bovendien hebben ze nog nooit de zee gezien.

Ze zeggen: je bent *tuturi*-wortels gaan opgraven, in het verste deel van ons bos. Daar werd je ontdekt door de koning van de nachtvogels die een hulpje voor zijn vrouw nodig had. Misschien was het jouw taak haar te helpen bij het verzamelen van bladeren om rokjes van te maken zoals wij dragen. Of haar te helpen bij het bouwen van bladerhutten.

Nee, zei ik dan, dat denk ik niet.

Dan schudden ze hun hoofd en haalden hun schouders op. En we lachten allemaal. Ik hield misschien een klein baby'tje vast dat heerlijk naar de aromatische kruiden rook die om zijn halsje gebonden waren en overal om ons heen was het geritsel van bladeren, en diep in het bos, waar de vrouwen wortels aan het opgraven waren, het geluid van zingen.

Dit, dacht ik, was het paradijs.

Maar het zal niet zo blijven. Hoe weet ik dat? Omdat er overal om je heen soldaten zijn als van je boot komt en het binnenland in trekt. En die lui willen alleen maar eten en jonge meisjes verkrachten. Overal om je heen zie je vluchtelingen, en deze mensen willen alleen maar ergens kunnen stoppen om uit te rusten, het geeft niet waar. Je moet letterlijk door een zee van afval waden. Al deze ongelukkige mensen worden in de richting van het bos gedreven, waar de kleine mensen leven, die me zo aan mezelf doen denken. Dan heb je de houtzagerijen, waarvan sommige honderden jaren oud zijn. Ze verspreiden zich door het hele bos, deze houtzagerijen, van de ene plaats naar de andere, en hakken de bomen om waarmee de kleine mensen altijd geleefd hebben. Hoe weet ik hoe de toekomst eruitziet? Omdat ik overal om me heen de verwoesting al zie.

Maar jij hebt je niet laten verwoesten, lievelingstoeriste, ging de brief verder, hoewel jouw volk, waarover ik lees – ik bestudeer hen – altijd op de rand van de ondergang schijnt te staan. Jij maakt zo'n zachte indruk, maar misschien is het de zachtheid van wat naar de grond buigt en niet breekt. Ik zie je nu voor me, ergens uitgestrekt in de zon, terwijl je je zorgen overdenkt, ja, maar misschien ook van een smakelijke vijg geniet. Volgens mij is dat de juiste houding, lievelingstoeriste. Laat niets tussen jou en de dans van het leven komen. Dit hebben de zigeuners met hun onsterfelijke muziek geprobeerd te bereiken. Toen ze in concentratiekampen zaten, waar ze door de nazi's in grote en schrikwekkende aantallen werden vermoord, waarvan de wereld zelden iets heeft gehoord, wat hebben ze de Duitsers toen nagelaten, afgezien van hun lange zwarte haar dat werd afgeschoren en gebruikt als vulling voor matrassen en voering voor koffers? Een enorme verzameling harpen en violen!

Misschien kom ik naar Amerika! Mijn boot is sterk. Hij is groot en een beetje pompeus, zoals mijn vader was. Misschien kom ik wel naar jou toe, dok mijn huis in de plaatselijke haven en vaar met je weg.

Je,

Irene (Ie-rie-nie)

**EEN KUS
ONDER DE DODEN
IS EEN BRIESJE**

HET VERHAAL DAT U ONS VERTELDE

Het Verhaal dat u ons vertelde, señor Robinson, was vreemd. Iedere zondag vertelde u ons er wat meer van, en dan zaten mijn vader en moeder die avond peinzend bij het vuur. Ten eerste was het een raadsel waarom de zon op haar naamdag, zondag, niet vereerd werd. De Mundo's vereerden de zon altijd; ze is naast de natuur en de aarde zelf de godheid die voor iedereen het meest onmiskenbaar is. Maar ook al was er in uw verhaal een dag naar genoemd, van de zon zelf werd nooit gewag gemaakt! Dit vonden de Mundo's heel vreemd. Mijn ouders herhaalden wat u tegen hen had gezegd, woord voor woord bijna, omdat er in onze wereld heel goed naar iedere spreker geluisterd wordt. Familie en buren kwamen bij ons vuur zitten; de kinderen gebruikten deze tijd om samen te spelen, terwijl de volwassenen zachtjes onder elkaar spraken en mompelden. Het verontrustte ons, dat onze ouders het verhaal niet aan konden omdat het te veelomvattend scheen. Ze zaten bij het vuur en porden er met stokken in en schudden bedroefd hun hoofd.

Terwijl u al veel verder was en hen had laten kennismaken met een zwevende God in de lucht, die ze zich alleen maar als een wolk konden voorstellen, maakten zij zich nog zorgen over vergelding voor het verzuim dat de zon nergens werd genoemd.

Maar we hebben nu niet veel tijd, zei Manuelito. Ik zal alleen met u spreken over wat u vanaf dit ogenblik kunt verwachten.

Hij bedoelde dit ogenblik na mijn overlijden.

Helaas bent u niet zingend naar het andere leven overgegaan en dus bent u er niet van verzekerd dat u het pad van de dood met een gevoel van zelfvertrouwen zult betreden. Toch zult u hetzelfde moeten doen als ik.

En wat is dat? vroeg ik.

Wie dood is moet twee taken volbrengen voordat het helemaal met hen is afgelopen: de eerste is iemand die je hebt achtergelaten en die door jouw dwaasheid verdwaald is weer op de goede weg brengen; de tweede is een ceremonie houden zodat jij en anderen die je gekwetst hebt, verzoend en ongeschonden de eeuwigheid kunnen aanvaarden.

Maar Manuelito, zei ik, zoiets heb ik nog nooit gehoord!

U hebt het nooit gehoord omdat u nooit heeft geluisterd, señor, zei Manuelito. U zei dat u kwam om van ons te leren, maar toen u ons in onze armoede zag vluchtte u regelrecht naar uw zwarte boek. U dacht dat er alle oplossingen voor onze situatie in stonden, terwijl er in feite niet één in stond die we konden aanvaarden zonder ons als onnozele kinderen te voelen. Dacht u heus dat we niet wisten dat we elkaar moesten liefhebben; dat wij zelf de mens tegenover ons zijn? Dat het verkeerd is om te stelen? Dat begeren wat anderen bezitten schadelijk voor ons is? Dat we een deel van de Grote Geest zijn en als zodanig bemind worden? Welke mensen weten deze dingen nu niet?

We geloven niet in de hemel of de hel, señor; we

geloven niet in eeuwige verdoemenis. We geloven alleen in de onvermijdelijke verschrikking dat we anderen kwetsen en zelf gekwetst worden. In spijt hebben en geen spijt hebben. In vergeven en niet vergeven. Ons verhaal duurt alleen zo lang als we nodig hebben om deze dingen te doen. We weten niet wat er met mensen gebeurt nadat ze de ander vergeven hebben. We weten niet wat er gebeurt nadat ze bewezen hebben dat het hun spijt. Het is een raadsel dat wij Mundo's graag onaangeroerd laten. Maar we weten wel dat ieder van ons een beetje tijd zal hebben, een gunstige gelegenheid zogezegd, om het weer goed te maken, afscheid te nemen en liefde te doen herleven in een hart dat liefde heeft moeten ontberen. En dan zijn we weg en denkt niemand zelfs meer aan ons.

Terwijl Manuelito sprak, dacht ik aan mijn gespook bij mijn jongste dochter. Tot haar verbazing droomde ze voortdurend over me. Ze 'voelde' de aanwezigheid van iets bovennatuurlijks in haar huis dat er rondwaarde. Ze droeg steeds vaker zwart, alsof ze mijn valse priestergewaad nabootste. Ze droeg onyx aan haar vinger, gitten rond haar hals. Toen ze in haar zwarte auto glipte, bij haar afdaling van de berg, leek het alsof ze mij binnenging, haar donkere vader, op wie ze ooit zo trots was geweest. Die ze vertrouwd had en voor wie ze niet bang was geweest.

En ik, die mijn neus nu tegen de ruit van haar liefdesleven, haar seksuele leven vooral, drukte en een plaatsje probeerde te veroveren op een terrein dat ik bijna vernietigd had. Was dit natuurlijk? vroeg ik aan Manuelito.

Dat is volkomen natuurlijk, zei Manuelito, hoewel het voor u misschien soms heel gênant is. Maar ach, wat zou de doden nog in verlegenheid kunnen brengen? Toen u ons vroeger onder de kerkdienst vertelde dat God alles zag, beschouwden we hem natuurlijk als een van de doden. Ons volk weet dat degenen die pas zijn overleden terugkeren om de verwarring te zien die ze hebben achtergelaten.

Maar dat zou betekenen dat jouw volk in geesten gelooft! zei ik.

Manuelito glimlachte tegen me. Hij was zo'n knappe jongen. Jong nog en ongeschonden in de dood. Stralend, niet bleek en schimmig zoäls ik.

Voor ons, señor, bestaat er misschien geen verschil tussen geesten en engelen, zei hij. Señor Robinson, vervolgde hij vriendelijk, wees niet wanhopig. Eén ding hebben we misschien over uw Jezus Christus begrepen, dat hij was wat u een geest noemt. Dat hij terug is gekomen om de verwarring te zien die hij had achtergelaten. Dat hij net lang genoeg is gebleven om orde op zaken te stellen. Om zijn volk te vertellen dat ze niet bang hoefden te zijn; om hun hun schuld te vergeven. Wij waren blij dat hij uit de dood was teruggekeerd; dit begrepen we volkomen. En we hielden ook van hem. Hij leek op een Mundo! Hoewel we nooit geloofd hebben dat hij een stoffelijk lichaam had dat echt gezien kon worden.

Het verhaal van de Mundo's is eveneens gecreëerd om ons te helpen de wonden te genezen die we elkaar tijdens ons leven toebrengen. Weet u dat voor ons het doel van het verhaal is de twee werelden met elkaar te verbinden? Wij geloven dat je je eigen verhaal meeneemt als je sterft. En dat je het kort daarna voltooit. Dit heeft een zekere logica, vind ik. We begrijpen dat de doden niet verdwijnen op het moment dat de dood intreedt, maar dat ze blijven praten, zeg maar, en nog een poosje aan hun eigen verhaal verder werken. Hoe zou het anders kunnen zijn?

Maar u bent, zij het zonder te zingen, in het hierna-maals gekomen. Ik geloof dat ik hier ben om u te bege-leiden, en dat zal ik ook doen.

Ten eerste, zei hij, heeft zowel Magdalena als Susannah altijd behoefte aan uw liefde gehad. Maar van hen beiden is Magdalena het kwetsbaarst. Haar zwaarlijvigheid is bedoeld om dit te verbergen. Susannah is, ondanks dat ze zo gedwee en meegaand lijkt – een onschuldig kind – een vrouw die vastbesloten is te krijgen wat ze hebben wil. Ze zal blijven experimenteren tot ze dat vindt. En ze is vooral vastbesloten haar eigen ideeën te volgen. Dit betekent dat ze in het ervaren van het leven zelf vindt wat ze nodig heeft. Susannah zal alles overleven, met de hardnekkigheid van bloeiend onkruid. Het is mijn Mag-dalena, trouwer en kwetsbaarder dan zij, die op dit mo-ment doodgaat van verdriet.

Terwijl hij sprak, zag ik Magdalena. Ik stond in feite vlak bij haar bed, waarop ze, kolossaal en grotesk, lag uitgespreid. Een homp chocoladecake in haar ene en een blikje bier in haar andere hand.

Waar kijkt ze naar? vroeg Manuelito.

Maar ze keek eigenlijk nergens naar. De televisie scha-kelde over en bracht een brommend, statisch geruis voort.

Ik keek haar diep in de ogen, die wijdopen waren. Ze lijkt bewusteloos, zei ik.

Manuelito zuchtte. Op dat moment kwamen er man-nen met witte jassen aan de kamer binnen. Ze haalden haar bier en chocoladecake weg, trokken een laken over haar hoofd en bleven staan om te bespreken hoe ze haar lichaam het huis uit zouden dragen. Ze verbaasden zich over haar gewicht en nog meer over haar lengte. Een van de mannen zei iets over een paard en lachte.

Ik wendde me tot Manuelito. Komt ze nu bij ons? vroeg ik.

Nog niet, señor, zei hij. Dat denk ik tenminste niet. Ik geloof dat ze eerst een bezoek aan haar moeder, señora Robinson, uw vrouw, moet brengen.

Mijn vrouw! zei ik. Ongelooflijk genoeg was ik haar vergeten. Ach, Manuelito, ik heb zo veel van mijn vrouw gehouden, maar wil je geloven dat ik niet aan haar heb gedacht sinds ik in het hiernamaals ben gekomen!

Zo gaat het, zei Manuelito. Daardoor, onder andere, weet je dat je liefde compleet was. Je hoeft niet meer aan deze dierbare te denken. U was bij haar toen ze stierf, hè?

O ja, zei ik. Ik ben nooit van haar zijde geweken. Ze is in mijn armen gestorven. Toen ze gestorven was, zei ik, heb ik haar lichaam vaarwel gekust. Ze is aan een vreselijke kanker gestorven, zei ik. Haar lichaam was er slecht aan toe. Maar dat maakte niet uit, het was het huis van haar ziel geweest; maar ik bleef er ook van houden omdat het bij haar hoorde. *Ik* hoorde bij haar. Ik was er zelf ook verschrikkelijk aan toe.

En zij hield van u?

Ja, zei ik, ik weet dat ze van me hield.

De Mundo's hebben een gezegde dat ware liefde zichzelf vervolmaakt. Je weet dat een liefde geen ware liefde is, als ze altijd onvoltooid blijft. Die pijn, dat verlangen hangt daar maar zo'n beetje, misschien wel je leven lang.

En waarom is dat zo? vroeg ik hem.

Omdat je, als je echt van iemand houdt, hoopt dat ze nooit zullen hoeven lijden, hoewel dat in de loop van het leven onvermijdelijk is. Je probeert altijd hun wonden te genezen. En zij doen instinctief hetzelfde voor jou.

Zo was het met ons, ja, zei ik.

Manuelito leek te grijnzen. Dat wéten we, zei hij.

Wat bedoel je? vroeg ik.

Heeft u zich ooit afgevraagd waarom we ons met u ophielden, señor? We wisten vanaf het begin dat u een man was wiens woorden niet strookten met zijn gedachten. We hadden de bescherming nodig die uw aanwezigheid ons dorp gaf, maar er waren al eerder priesters geweest en die hadden we volkomen buitengesloten. U was de enige die zo lang bij ons mocht blijven.

Ik zou graag weten waarom, zei ik tegen Manuelito.

Omdat u altijd met uw vrouw vrijde.

Als ik een mond had gehad, zou hij van verbazing zijn opengevallen.

Manuelito grinnikte.

Rotjongens! zei ik.

Nee, nee, señor Robinson, het waren niet de kinderen die u bespiedden! Wat heb ik u nou over de levenswijze van de Mundo's verteld?

Wie dan wel? vroeg ik.

De ouderen natuurlijk, zei Manuelito.

De ouderen? zei ik. Die oude mannen?

En vrouwen. Ja, zei Manuelito. U weet nog wel dat de ouderen voor niemand meer waardering hadden dan voor Mad Dog Magdalena. Nou, de oude vrouw die haar die naam had gegeven stierf toen u nog in het dorp was. Ze was er getuige van dat u Magdalena sloeg. We kwamen erachter hoe u haar pijn had gedaan omdat zij er ons in onze dromen over vertelde. Maar voor die tijd, als deel van haar taak als beschermster van het dorp, hield ze u in de gaten en vertelde ze ons hoe het toeging met u en señora Robinson. En vóór haar was het weer een andere oudere. De Mundo's hebben altijd ouderen die de priester in het oog houden. De ervaring heeft ons geleerd dat deze ouderen vrouwen moeten zijn, omdat ze zich als vrouw waarschijnlijk minder met de priesters zouden identificeren, wat wij 'opgezogen door het zwarte kleed' noemen.

Maar dat is belachelijk! zei ik.

Manuelito lachte. Sommigen van de mensen die ze naar ons stuurden raakten geen vrouw aan. Ze hielden niet van het lange haar van een vrouw; ze hielden niet van haar lach of haar borsten; ze hielden niet van haar geur. We wisten dat deze mannen ons regelrecht naar de ondergang zouden voeren.

Maar u hield van vrouwen, ging hij verder. Van señora Robinson tenminste. U scheen te weten dat we leven creëren als we de liefde bedrijven. Helaas raakte u in de war toen uw eigen dochter in uw voetsporen trad. Ja, zei hij, Magdalena wist precies wat u wist. En dat heeft ze ontdekt, kan ik vol trots zeggen, toen ze bij mij was.

Zul je het me ooit vergeven? vroeg ik aan Manuelito, want ik begreep dat dit de enige waardevolle vraag was in de beperkte hoeveelheid tijd waarover we beschikten.

Er was een lichte rimpeling in de lucht die betekende dat hij me in zijn armen nam. We zullen heel binnenkort een ceremonie houden, señor. Ik weet zeker dat alles goed zal komen.

OPGEZOGEN DOOR HET ZWARTE KLEED

Manuelito hoefde me niet te vertellen wat er met me was gebeurd. Waarom ik gekomen was om zijn volk te bestuderen maar uiteindelijk blijkbaar niets over hen wist. Ik was opgezogen door het zwarte kleed.

Weet je, zei ik tegen hem, dat is zo'n treffende beschrijving!

Que? vroeg hij.

Opgezogen worden door het zwarte kleed. Ik was opgeleid voor antropoloog. Ik was een atheïst. Preciezer gezegd, een agnost. Hoe moest ik doen alsof ik wist of er een God was en in welke gedaante hij bestond? En toch, toen ik eenmaal het geld van de kerk had aangenomen om jullie te gaan bestuderen en toen ik eenmaal had toegezegd om 'te doen wat ik kon' om jullie te redden, in ruil voor de hulp van de kerk, was het alsof ik voor mezelf ophield te bestaan. Ik werd 'gesponsord' door iets waarin ik niet geloofde. Ik dacht dat ik op die manier kon leven. Wat een dwaas!

Als señora Robinson u had verlaten, zou het afgelopen met u zijn geweest, zei Manuelito.

Dat wist ik, zei ik tegen Manuelito. Je hebt er geen idee van hoe ik haar gesmeekt heb te blijven.

We hadden er wel enig idee van, zei hij glimlachend.

Soms begreep ik niet waarom ze bij me bleef, zei ik.

193

We wisten allebei dat ik een steeds groter wordend, gapend gat in me had. Een vacuüm waarin geen geloof bestond. Omdat ik rechtschapenheid en kuisheid predikte tegenover de jonge vrouwen van jouw dorp, die, althans in mijn bijzijn, nooit iets anders toonden, werd het steeds noodzakelijker voor me om Magdalena, die in vergelijking losbandig leek, hard aan te pakken.

U zat verstrikt in uw eigen leugen, señor. Daarom hadden uw woorden voor ons geen enkele overtuigingskracht. Daarom liet het verhaal dat u vertelde ons zo koud.

Maar jouw volk scheen het te begrijpen! zei ik. Dat was nog het mooiste. Ik had nooit het gevoel dat ik er echt de slag van had, zelfs na al die jaren niet. Maar jullie schenen allemaal volkomen bereid te geloven dat ik De Waarheid had gebracht, te knielen en de hostie te ontvangen, ermee akkoord te gaan.

Wat konden we anders doen, señor? Overal gaan de Mundo's hun ondergang tegemoet. Als niemand ons bestudeert, beschouwt de wereld ons niet als waardevol. De *ladinos* komen ons gevangennemen en dwingen ons te werken in de bossen en de mijnen. Ze verkrachten onze dochters en zusters en moeders. Zelfs als we hoog in de bergen, in grotten leven hebben ze ons gevonden.

Ik denk dat het die leemte, die leegte in me is die tot de dood van mijn vrouw heeft geleid, zei ik.

Ze was een vrouw die bruiste van het leven, zei Manuelito. Magdalena leek in dat opzicht op haar.

Ik denk dat ze altijd diep in mijn binnenste keek, zo ver als ze maar kon zien, tot ver achter mijn 'knappe uiterlijk', tot ver achter mijn sex-appeal. Tot ver achter mijn gesmeek en aanhankelijkheid. En toen ze op een dag keek, geloof ik dat ze zag dat het was zoals ze gevreesd had: dat mijn innerlijk een gapende afgrond was.

U huilt, señor, zei Manuelito zacht. Dat is niet iets wat de doden hoeven te doen.

En toen, zei ik snuffend, zag de kanker die haar verzwolg zijn kans schoon. Hij sloeg toe. Niemand kon haar beschermen tegen wat ze wist. Ze had haar leven gesleten met een man zonder kern, zonder geloof.

Nee, nee, zei Manuelito. Een man die was afgeleid van zijn geloof. Zijn geloof in de vrouw. De vrouw met wie hij vrijde en de vrouw in wording die zijn eigen kind was.

Magdalena zong altijd, zei ik. We sloegen nu de werklieden gade die het kozijn van haar deur weghaalden en een grote kar naar binnen reden. Een aantal grote mannen schoven en wurmden en duwden haar lichaam naar de rand van het bed.

Waar denk je dat ze haar moeder zal ontmoeten? vroeg ik aan Manuelito.

Bij de rivier, antwoordde hij prompt. De Mundo's geloven dat alle kinderen die gestorven zijn daar hun moeder ontmoeten.

De rivier

Ze zat op een platte steen in de schaduw van een rode kei. Er was een rivierbedding, maar die was droog.

Ik heb op je gewacht, Magdalena, zei ze kalm. Ik wil dit ding oversteken, maar het lied dat ik nodig heb staat niet in mijn aantekeningen.

Je aantekeningen zelf ontbreken, zei ik tegen haar.

Ze lachte. Het is een hele verrassing te ontdekken dat al je oude vertrouwde dingen ontbreken, zei ze. Ik zit hier uur na uur, zoals ik vroeger deed, en neem mijn aantekeningen door, net als ik toen deed. Alleen bestaan ze niet, net zo min als ik besta.

Het drong tot me door wat mijn taak was: ik moest haar het *vado*-lied leren, het oversteeklied. Dat betekende dat mijn andere taak ongetwijfeld met mijn vader en, hopelijk, met Manuelito te maken had.

Ik onderbrak mijn gedachtengang. Hadden doden wel hoop?

Mijn leven was verwoest, zei ik tegen mijn moeder, omdat jij niet voor me op bent gekomen.

O lieveling, zei ze, hoe kun je dat nou toch zeggen?

Ik kan het zeggen omdat het waar is, zei ik. Maar wees niet ongerust, ik zal je het inwijdingslied van de Mundo's leren. Ondanks alles, zei ik, terwijl ik naar de droge rivierbedding keek, wil ik dat je oversteekt.

Ik weet het niet, zei ze, met een bedenkelijke blik en naar de overkant van de rivier turend. Er schijnt niets bijzonders aan de andere kant te zijn.

Nee, zei ik, er is ook niets bijzonders.

Waarom moet ik dan oversteken? vroeg ze.

De Mundo's zouden zeggen 'daarom'.

Daarom?

Ja, omdat je op deze oever niet verder kunt. Wat zou je anders kunnen doen?

Maar de ene oever is hetzelfde als de andere.

Dat is waar.

Het is niet erg logisch, als je het mij vraagt.

Toch wil je oversteken, of niet?

Jawel.

Waarom?

Mijn moeder dacht lang na. Ze was een mooie schimmige vrouw, haar wenkbrauwen heel donker in haar bleke, vermagerde gezicht.

O, zei ze.

Ja? vroeg ik.

Het gaat om het *oversteken*, zei ze. Oversteken is leven. Het doet er helemaal niet toe of je aan de ene of de andere kant van de rivier bent.

Dat is de betekenis ervan, dat je aanvaardt dat je leeft, ja, zei ik. Dat is wat de Mundo's geloven.

Je vader heeft met heel zijn hart, voor zover hij kon, van me gehouden, zei mijn moeder.

Het was geen erg groot hart, zei ik.

Het was een bang hart, zei ze. Zijn volk was een geknecht volk dat ook werkelijk slaaf werd. Je wordt niet weer vrij door het alleen maar te wensen.

Waarom heb je hem niet verlaten? Als je hem had verlaten was zijn hart heel misschien groter geworden.

Ik was te veel aan hem gewend, zei ze. We hadden het echt goed samen, Maggie, vooral voordat jij en je zusje waren geboren. We vonden elkaar op zo veel vlakken! Maar onder valse voorwendselen geld van de kerk aannemen, nou, dat was die ene grote leugen, zoals de Mundo's zouden zeggen, die de samenhang van onze wereld voorgoed verbrak!

Ik lachte. Mijn moeder scheen haast vrolijk. Een teken van wie echt bemind is geweest, hoe klein het hart ook was dat hen beminde. Ik ben gestorven terwijl ik chocoladecake at en jou haatte, zei ik. Ik wilde graag dood. Ik dacht dat als ik dood was, ik het tenminste met jou kon uitvechten. Maar nu, zei ik, schijnt dat er allemaal niets meer toe te doen.

Als het er niets toe doet, zei ze opgewekt, geef me dan maar een kus.

Een kus onder de doden is een briesje. Mmm, zei mijn moeder, een licht dwarrelwindje dat me omhelsde.

IEDEREEN ZIET DAT DE HEMEL NAAKT IS

VADO
Iedereen ziet dat de hemel naakt is
en als de hemel naakt is
is de aarde
ook naakt

Terwijl we op Magdalena wachtten, begon Manuelito, die haar nooit June noemde, mij het inwijdingslied van de Mundo's te leren. Ik oefende me in het zingen, maar ik zag dat hij mijn inspanningen soms amusant vond.

Wat is er? vroeg ik. Doe ik het niet goed?

Er is geen goede of verkeerde manier om te zingen, señor. Wie een echt mens is begrijpt dit heel goed. Maar de manier waarop u de woorden besluipt en ze probeert te vangen, doet me denken aan de manier waarop *ladinos* zingen. Ze proberen alles perfect te maken, zelfs hun zingen! Maar als het eenmaal perfect is, is de spanning er natuurlijk af.

Wat betekent het als je zegt:

Van ver over het water
zwemt je bestemming naar je ziel
en in de takken van de naaste boom
woont de volle neef van je haar?

Ah, zei Manuelito, dit is een vraag die ik ook aan de ouderen heb gesteld. Het is een couplet dat ik heel mooi vind, maar tegelijkertijd moeilijk te begrijpen.

Het gaat over de manier waarop je, in het leven, altijd je bestemming tegemoet gaat. Als een vis die als een vrij schepsel van huis gaat en diezelfde dag aan het eind van een hengel komt te hangen, een smakelijk maaltje voor een ander, ondanks je dromen. Wat de rest betreft, de Mundo's geloven dat de bomen onze naaste verwanten zijn en dat de wind zelf ook een familielid is dat zijn verwanten altijd liefkoost, als het ware.

> *Iedereen ziet dat de vrouw de moeder is*
> *van de oudste man op aarde*
> *is het dan geen gebed*
> *als je voor haar buigt?*

> *Iedereen ziet dat de man de vader is*
> *van de oudste vrouw op aarde*
> *is het dan geen gebed*
> *als je voor hem buigt?*

Maar Manuelito, zei ik, er zijn mensen die in parthenogenese geloven. Dat de vrouw oorspronkelijk geen man nodig had om een kind te baren. Dat ze zonder zijn hulp leven in zichzelf kon creëren. En er zijn bovendien mensen die geloven dat ze dit gedurende een miljoen jaar of zo heeft gedaan.

We kenden haar in die tijd niet, zei Manuelito. Als dat wel zo was, zou ons verhaal ons over haar vertellen. We kennen de vrouw en de man als elkaars gelijke. Mooi op hun eigen wijze, zoals de ouderen zouden zeggen.

En deze strofe, zei ik:

Bij ons begin in dit leven
worden we gekust op alle vijf plaatsen
die het licht binnenlaten
Bij ons afscheid worden we ook
gekust

Dat is simpel, señor, zei hij. Als een kind geboren wordt, wordt het door beide ouders op vijf plaatsen gekust: de oren worden gekust, de ogen, de neus, de mond en de plaats waar het leven begint. Als iemand sterft, kussen degenen die innig van hem of haar houden deze zelfde plaatsen ook.

Als we ons gereedmaken om de liefde
voor het eerst te bedrijven
komt moeder zingend aan
vader is er ook
vlotgras en veren
brengen ze ons
eieren worden gegeten
we worden gekust op alle vijf
plaatsen
de lieflijke borsten
worden bedankt
dan zenden ze ons naar de geliefde
gezegend

Ik begon de melodie te pakken te krijgen, die langzaam

en dromerig, pulserend was. Er scheen een trilling door je lichaam te gaan, opgewekt door dit lied. Onder het zingen voelde ik me hevig ontroerd.

Deze strofe bezorgde ons de meeste last met de priesters, zei Manuelito.

Maar ze is heel mooi, zei ik, net als alle andere.

Ja, zei hij, maar heeft u echt geluisterd naar wat erin gezegd wordt? We hebben de priesters uitgelegd dat we bij de ceremonie waarin geliefden worden verenigd vlotgras verbranden om onszelf en onze omgeving te louteren. Dat we veren gebruiken om de rook naar alle kanten te verspreiden. Dat er eieren werden gegeten in de hoop dat de verbinding vruchtbaar zou zijn, niet alleen wat kinderen betreft, maar ook op het gebied van ideeën, creativiteit en overvloed voor de stam. Al deze dingen zeiden ze te begrijpen. Maar het idee dat een moeder en vader de borsten van hun volwassen kinderen aanraakten en hun vulva en fallus kusten, zelfs maar om deze te zegenen, stond hen niet aan. We legden uit dat het een eerbiedige kus was, de lichtste aanraking. Maar het kon hen niet schelen. Omdat we dit gebruik hadden, plunderden ze onze dorpen, hakten met machetes onze hoofden af, maakten slaven van ons die in de goud- en zilvermijnen moesten werken en verbrandden onze kinderen levend.

Om de een of andere reden kwamen deze afschuwelijke dingen me komisch voor.

Waarom lacht u, señor? vroeg Manuelito.

Omdat het zo zot is. In onze cultuur kun je de hele dag door op de televisie zien hoe mannen en vrouwen elkaar aflebberen.

Maar vanuit deze traditie van hypocrisie bent u ook naar ons gekomen, señor.

Mijn gedachten gingen naar mijn dochter Susannah. Toen ze klein was, was het altijd moeilijk om erachter te komen voor welke dingen ze bang was; ze was beheerst, niet van haar stuk te brengen, zelfs als kind. Onverstoorbaar in de serene, zij het peinzende, kalmte die ze over zich had. Maar wat haar bij mijn weten in haar kinderjaren meer dan wat ook angst aanjoeg was de ontdekking, op zekere dag, dat het Nuervolk, in de nog niet in kaart gebrachte wildernis van Zuidwest-Ethiopië, de vrouwen dwong schijven ter grootte van een bord in hun onderlip te dragen. Langley had deze stam bezocht en er foto's van mee teruggebracht.

Maar mammie, had Susannah met grote ogen gezegd, hoe kunnen de vrouwen praten met die dingen in hun lip? Hoe kunnen ze eten?

Langley legde uit dat de vrouwen ze alleen hoefden te dragen in het bijzijn van de mannen en dat eten inderdaad een probleem was. Maar van de man uit gezien verzekerde deze omstandigheid dat de vrouwen in aanwezigheid van de mannen nauwelijks konden praten, zo zwaar was de aardewerken schijf, en dus was hun stilzwijgen gegarandeerd. Bovendien konden de vrouwen niet zo vlug eten als de mannen, wat betekende dat de mannen het meeste voedsel kregen.

Susannah had wekenlang nachtmerries nadat ze de foto's had gezien. Ze ging voor de spiegel staan en rekte haar eigen onderlip uit.

Wat doe je? vroeg ik haar op een dag.

Terwijl ze aan haar lip trok zei ze: Maar ik kan hem

maar tot zover uitrekken. Als ik hem verder uitrek doet het pijn.

Lippen zijn net elastiekjes, zei ik. Ze keek me ontzet aan. Dat heeft de tandarts eens tegen me gezegd, voegde ik er haastig aan toe. Maar de manier waarop het gedaan wordt is eigenlijk eenvoudig. Eerst wordt er een klein schijfje in het gaatje gedaan dat in de lip is gesneden, een tijdje later dan een grotere schijf, en een grotere en een grotere, tot je de schijf zo groot als een bord hebt.

En dat noemt u eenvoudig, had ze met een blik van volwassen verbijstering gezegd. Ze was net zo geschokt door de aanblik van vrouwen die gedwongen waren een zware ijzeren kraag om hun hals te dragen waaruit aan de voorkant iets stak dat op een ijzeren penis leek.

Hoeveel weegt dat ding? vroeg ze aan Langley.

Een pond of tien, zei haar moeder. Ongeveer zo veel als deze zak rijst.

Susannah leek hevig aangedaan.

Waarom komen de vrouwen niet in opstand? vroeg Magdalena.

Omdat zij het gebruik nu zelf in stand houden, zei Langley zuchtend. Ze kunnen zich de tijd niet meer heugen, en hebben er geen ander bewijs van, dat ze geen schijven of ijzeren kragen met penissen erop droegen.

God, zei ik, dat is wel verdomd opvallend.

Alle drie meisjes van me draaiden zich om en keken me koel aan.

Ja, zei mijn vrouw. Toen ik er was, logeerde ik bij missionarissen die alles aan de stam betreurden. Behalve deze praktijken. Ze dachten dat de vrouwen ze oorspronkelijk bedacht hadden en zich er niet door onderdrukt voelden, omdat ze er zelf de hand aan hielden. Bovendien, zeiden ze, waren het deze symbolen van de stamcultuur – de schijven, de ijzeren kraag – die de stam uniek maakten. Maar, zei ik, de lippen en halzen van de vrouwen zijn rauw en ontstoken. En omdat de kraag nooit kan worden afgedaan, wordt hun hals nooit gewassen. Ze haalden hun schouders op en zeiden dat ze wattenstokjes en liters alcohol verstrekten. De mannen, begreep ik, dronken die alcohol vaak.

Het was fantastisch om met mijn vrouw getrouwd te zijn. Ik had het gevoel dat niets van betekenis ooit aan haar belangstelling ontsnapte; dat ze even ontvankelijk als een zeeanemoon voor de prikkelende realiteiten van de wereld was. In haar denken en haar hartstochten leefde ze op een manier die mij vreemd was geworden.

Hoe blijf je toch in je eigen ideeën geloven? vroeg ik haar. Hoe behoud je je vertrouwen in je eigen overtuigingen?

Ze was bezig geweest een vuur te maken in de hoekhaard van ons stoffige adobehuis. Terwijl ze haar sexy schouders ophaalde, zei ze: Ik vertrouw op mijn eigen zintuigen. Ik begrijp anderen intuïtief omdat ik mezelf begrijp. Niemand besluit vrijwillig een snee in haar eigen lip te maken. Niemand kiest vrijwillig een hals die voortdurend rauw wordt geschuurd en wordt geteisterd door vliegen. Ik moest mezelf dwingen met de missionarissen onder één dak te blijven, zei ze. Ik kon me niet bij de Nuer aansluiten, omdat ik mezelf als man had moeten bestempelen om enig respect van de mannen of vrouwen te krijgen.

Ah, liefste, had ik veelbetekenend gezegd, terwijl ik mijn armen wijd opende, hoe waardig weet je ieder dilemma bij de hoorns te vatten. Ik heb hier ook een klein dilemma waarmee je me, denk ik, zou kunnen helpen. Maar dit was een van de weinige keren dat mijn vrouw pertinent weigerde om met me te vrijen. In plaats daarvan stond ze, met een vermoeidheid in haar bewegingen die ze haast nooit vertoonde, van de haard op en keek me aan met wat ik eenvoudig 'de blik' was gaan noemen.

We hebben gehoord, zei Manuelito, dat er mensen zijn die de jongeren, vlak voordat ze gaan trouwen, daar beneden verminken – op de plaats waar de Mundo's hen kussen.

Dat is waar, zei ik. Delen van het lichaam worden afgesneden en met een vloek weggeworpen.

Manuelito's gezicht was een toonbeeld van ongeloof.

Zelfs onze doden weten dit niet, señor, zei hij.

Net als de priesters en de missionarissen, zijn antropologen hiervan al heel lang op de hoogte. Zonder dat ze ertegen protesteren, voegde ik eraan toe.

Wat is het leven moeilijk te begrijpen! zei Manuelito. De dood moet veel gemakkelijker zijn, denkt u niet, señor?

OVERSTEKEN

Ik had nooit gedacht dat ik op een dag naar Magdalena's appartement zou moeten om haar dingen in te pakken. Dat zij dood zou zijn en ik was achtergebleven, de enige van ons gezin die nog leefde. Afgeschrikt door de kolossale, zware meubels en de grote stapels walgelijke, ongewassen kleren die ik overal tegenkwam, begon ik met het uitruimen van de ijskast, waarop aan de voorkant, met plakband, een kiekje van mij was bevestigd. Boven mijn hoofd waren de woorden getypt: Van lijden word je mager.

Ik staarde als gehypnotiseerd naar de foto. De vrouw die erop stond keek me glimlachend aan. Het was waar dat ze mager was, ik zag de beenderen die boven de hals van haar zwarte jurk zichtbaar waren. De vinger die ze naar de camera uitstak was benig. De foto leek op een feestje te zijn gemaakt; ik hing de clown uit. Hij moest door een van Magdalena's studenten zijn gemaakt in de maand dat ik bij haar logeerde en haar probeerde te helpen haar lichaam, dat steeds verder achteruitging, in vorm te krijgen. We waren naar de Weight-Watchers, naar het fitnesscentrum, naar de sauna geweest. Niets had erg veel indruk op haar gemaakt.

Ze was gewoon blijven zingen. Soms hoorbaar, soms heel zachtjes. Soms neuriede ze de melodie van het lied dat ze in haar jeugd geleerd had. Het lied dat Manuelito haar geleerd had.

Toen we haar op een dag wogen, zagen we dat ze twee hele ponden was afgevallen. Ik had in mijn handen geklapt en vrolijk, onnadenkend en stom gezegd: Zie je wel, van lijden word je mager!

Ze had me aangekeken alsof het haar niet kon schelen of ze me ooit nog zag.

Tenslotte huurde ik verhuizers om Magdalena's spullen weg te halen. Ik gaf haar kleren en linnengoed aan liefdadige organisaties. Ik gaf haar papieren aan de universiteit waar ze gewerkt had. Ik hield de kopieën van de antropologische artikelen van mijn ouders die ze in de jaren vijftig hadden gepubliceerd.

Het deed me verdriet dat Magdalena alleen was gestorven. Had ze gezongen? vroeg ik me af. Want dat scheen het enige te zijn waarop ze hoopte aan het eind van haar leven. Ik stelde deze vraag aan de mannen die het eerst gearriveerd waren; onaandachtige, stroeve mannen, met witte jassen aan. Ze wilden me eerst niet vertellen hoe ze haar hadden aangetroffen, met een blikje bier in haar ene hand geklemd en een homp chocoladecake fijngeknepen in haar andere. Het zoete en het zure voorgoed samensmeltend in haar mond. Nee, als ze zich aan het volproppen was, kon ze niet gezongen hebben, zeiden ze tenslotte.

Toen ik haar woning voor de laatste keer afsloot, haar overschoenen en paraplu oppakte die naast de deur stonden en ze in de vuilnisbak gooide toen ik de straat uit liep, voelde ik een leegheid, een lichtheid eigenlijk, die niet onplezierig was. Ik kon niet doen alsof ik een zusje zou missen dat ik nooit echt gehad had. Onze relatie als zusjes was op een zwoele middag in de bergen van Mexico voorgoed verwoest. Ik had graag een zusje gehad;

maar Magdalena was niet het zusje dat ik graag zou hebben gehad.

Een paar weken na haar dood ontving ik een pakje, dat geadresseerd was in Magdalena's haastige en nogal slordige handschrift. Er zat een foto in van een heel leuke, jonge Manuelito die op Vado zat, en een mooie, zij het ruw gemaakte zwarte leren riem, versierd met kleine, verkleurde zilveren schijfjes. Er was een brief die met de strofe van een lied begon:

> Bij het oversteken
> doen we er goed aan
> degenen los te laten die
> troost hebben geput
> uit onze pijn
> Doen we er goed aan
> deze plek te verlaten
> met een hart
> dat zachter is dan steen
> Bij het oversteken
> doen we er goed
> aan
> te vergeven
>
> Doen we er goed aan alle vijandigheid
> te laten varen jegens hen
> die ons gekwetst hebben
> door hun ongelukkige aanwezigheid
> alleen

Door de dwaling
van anderen
te vergeten
wordt de vado
eindelijk
ons thuis.

Lieve Susannah, schreef ze, stel je eens voor! Als de Mundo's gelijk hebben is er voor ons geen reden elkaar ooit nog te zien, zelfs niet na onze dood. Onze verhouding, als zusjes zogenaamd, was eigenlijk een verhouding tussen twee vreemden. Ik ben er in ieder geval in geslaagd al mijn zusterlijke gevoelens tegenover jou uit te schakelen. Als mensen inderdaad reïncarneren, zoals sommigen geloven, komen we elkaar misschien opnieuw in elkaars leven tegen. Ik ben dan je butler of jij bent mijn schoonvader.

Ik heb je getolereerd, maar nee, ik heb nooit van je gehouden. Zelfs vóór je transformatie bij het sleutelgat vond ik je een tut. Je *verveelde* me, Susannah. Je 'goedheid', net als je magerheid, scheen een lafhartige aarzeling tegenover de rijk voorziene dis van het leven. Het wordt trouwens tijd dat je eens een eigen leven gaat leiden en ophoudt met er alleen maar over te schrijven. Eigenlijk, ging de brief verder, ben je ijdel en laf; het leven dat je voor jezelf hebt gekozen, minderwaardig en verachtelijk...

Maar dat is niet waar, zei Susannah onder het lezen tegen zichzelf. Ze keek even naar de lange breedvoerige pagina's die nog volgden. Deze persoon, deze 'ander' die Magdalena geconstrueerd heeft als de zuster die ze afwijst, ben ik niet. Geen van mijn vrienden zou mij zo zien. En zo zie ik mezelf ook niet.

Ze deed haar ogen dicht en voelde de blik van Magdalena op zich terwijl ze haar best deed de liefde die ze voor haar ongelukkige (ja) vader had gevoeld te onderdrukken. Ik hoef niet, hoorde ze de volwassen wordende stem van Magdalena zeggen, zoals ze die dag lang geleden in de auto had geklonken. Ze zag opnieuw de gomballen met groene-appelsmaak, vers en glanzend in de uitgestrekte hand van haar vader. Ze zag dat ze weigerde haar hand op te tillen of zijn vriendelijke blik te beantwoorden. Zag en voelde toen dat ze haar eigen liefde verloochende. Onder de Mundo's de grootste misdaad die je tegenover jezelf kunt begaan.

Zonder dat ze zich ervan bewust was, rolden de tranen langs Susannah's wangen en van haar kin. Zo scherp voelde ze het verlies dat ze een schreeuw gaf en op de grond viel. Daar lag ze snikkend, met haar gezicht in het tapijt gedrukt. Als een dwaas had ze iets in zichzelf kapotgemaakt dat sterk en mooi was, de onvoorwaardelijke liefde die ze voor haar vader voelde. Magdalena had de vernietiging ervan gewenst en er meedogenloos aan meegewerkt. Zonder zich ooit te bekommeren om de wonden die ze aan beide zijden had veroorzaakt.

Susannah huilde tot ze niet meer kon huilen. Pappie, pappie, het spijt me, fluisterde ze uitgeput. Ik wist niet wat het betekende om jou op te geven. Ik wist niet wat het betekende om je niet te vergeven. En nu is het te laat!

Maar op hetzelfde moment dat ze dit dacht, voelde ze de vrede zelve haar kamer binnenkomen. In haar verbeelding zag ze een naakte man met een donkere huid, die een bosje pauwenveren vasthield. Hij bleef niet maar haastte zich voorbij, de kamer door en dwars door de andere muur. Hmm, zei Susannah tegen zichzelf, terwijl ze opstond en haar natte wangen en haar loopneus af-veegde.

Was dat papa voordat ik hem kende? vroeg ze zich af.

Ze had nog steeds Magdalena's brief in haar hand geklemd. Bemoedigd door de nieuwe kalmte die over haar was gekomen, begon Susannah zichzelf te dwingen de brief verder te lezen. Ze probeerde zelfs weer bij het begin te beginnen. Maar ze ontdekte onmiddellijk dat het niet nodig was. Ze had eenvoudig geen enkele be-langstelling meer voor wat haar zusje had gedacht.

Ik zal me niet zodanig door haar laten beïnvloeden dat ik op dezelfde manier over mijn leven of haar dood ga denken als zij, fluisterde ze tegen zichzelf en ze voelde zich evenwichtiger dan ze zich in lange tijd gevoeld had.

Het was verbazingwekkend, omdat een mens nooit dacht dat groei zich op deze manier voltrok of althans zich eindelijk aankondigde, maar op dat stille ogenblik waarop Susannah deze gedachten had, terwijl ze haar neus in haar rok snoot zonder zich iets van het snot aan te trekken, voelde ze dat ze het proces van volwassen-wording voltooide. Ze was volgroeid. Ze kon haar eigen leven aan. Magdalena was niet langer de manipulerende en verminkte geestelijke-tweelingzus, die door pijn met haar verbonden was. Niet uitgelezen, gleed de brief uit haar handen op de grond.

Voor ieder kwaaltje...

Wat duurt het lang voordat je iets begrijpt! Kolonisatie, bijvoorbeeld, of oorlog. Pauline sprak geestdriftig door een waas van sensamillarook. Susannah knikte terwijl Pauline de joint aan Irene gaf. De drie vrouwen lagen nonchalant op fluwelen kussens op de grond in Susannah's serre en de namiddagzon van een warme lentedag verlichtte hun gezicht en haar.

Dus het is waar dat de CIA eraan heeft meegewerkt de zwarte mensen in Amerika drugs te geven? vroeg Irene. Ze onderdrukte een kuchje en klopte met een bleke, broze hand op haar ronde borst.

Dat denkt iedereen wel, ja, zei Susannah.

Er viel een stilte terwijl het kwinkeleren van een vogel, vlak voor de ramen, een lieflijke geluid voortbracht.

Pauline lachte.

Susannah keek haar aan.

Ik dacht net, zei ze, dat zwarte mensen door heel Amerika ditzelfde gesprek voeren terwijl ze druk zitten te blowen.

Susannah haalde haar schouders op. Het is een gesprek dat vanzelf opkomt als je zit te blowen.

Ja, dat denk ik ook, zei Irene. Ik moest mijn sigaretten opgeven omdat ik er kanker van kreeg, maar ik kan nog wel blowen. Ik heb eigenlijk leren blowen van de kleine mensen, weet je. Bij ieder kamp hebben ze een marihuanatuintje, waar ze ook leven. Het groeit overal in het bos in het wild, maar omdat de bosmensen hun kamp opslaan op open plekken waar zon is, vind je op die plaatsen altijd de beste marihuana.

Verrek! zei Pauline. En zijn ze altijd zo stoned als een aap?

Irene nam nog een haal. Natuurlijk niet, zei ze, de rook uitblazend. Zoals met alles, gebruiken ze net genoeg. Voor hen is het een heilige plant, misschien wel de heiligste.

Waarom is dat zo? vroeg Susannah. Ze beschouwen immers al hun planten, de bomen en het hele bos als heilig?

Pauline was op haar buik gaan liggen en volgde geboeid het geworstel van een grote kever die het raam was binnengevlogen. Hij was tegen de muur gebotst en op de grond gevallen en lag nu op zijn rug met zijn zes oranje pootjes te zwaaien.

Zo'n mooi diertje als jij heeft vast ergens een wijfje wachten, zei ze tegen de kever. Ze keerde hem met haar vinger om en gaf hem een zetje opdat hij weg zou vliegen.

Ze beschouwen het als de heiligste omdat het de plant is die mensen en bomen, de hele natuur, met elkaar laat praten. Het is de tolk, zeg maar.

Wow, zei Susannah. Dat heb ik altijd al zo gevoeld, weet je.

Hier beweren ze dat het tot crackverslaving, onheil en moord leidt, zei Pauline. Maar dat gebeurt waarschijnlijk alleen als het door onderworpen boeren in Honduras of Columbia wordt gekweekt, en al hun tranen en bloed vermengd raakt met de angst en pesticiden.

De perfecte marihuana, zei Susannah, wordt naar mijn ervaring altijd door vrouwen gekweekt. Ze kweken het met liefde. Het is een plant die op emoties reageert.

Hoe weet je dat? vroeg Pauline.

Susannah knipoogde. Schrijversexperiment.

Aha, zei Pauline, die het peukje liet vallen dat tot haar vingers was opgebrand.

Dus jullie regering verspreidt op grote schaal drugs onder de bevolkingsgroepen, vreselijke drugs, zei Irene dromerig, zoals de Britten met opium in China deden, en dan komt ze in actie en arresteert de jonge mannen voor het bezit ervan.

Zo ligt het ongeveer, zei Susannah.

En mensen die geld te investeren hebben, steken het dan in de bouw van gevangenissen. Ze zijn uit Zuid-Afrika en andere plaatsen geschopt waar ze door hun winst honderden jaren lang aan de macht zijn gebleven. En dus worden al jullie jonge mannen in de gevangenis gestopt.

Willen we het daar echt over hebben? zei Pauline knorrig, terwijl ze aan Richard, haar zoon, en aan haar kleinzoons, Bratman en Will, dacht.

Maar Susannah en Irene lachten. Je weet dat het onmogelijk is je gedachtenstroom stop te zetten als je stoned bent! zei Susannah, terwijl ze haar een stomp tegen haar arm gaf.

Nou, goed, zei Pauline. Laten we het dan verdomme maar helemaal doordenken.

Maar toen ze dat gezegd had scheen ze te vergeten waar het gesprek over ging, net als Susannah en Irene.

Ze verschoven hun lichaam op de kussens, leunden tegen de muur van de kamer, deden hun ogen dicht voor de ondergaande zon en verzonken in hun eigen mijmeringen.

———

Irene was twee dagen eerder aangekomen. Ze had haar boot in de jachthaven van de stad afgemeerd en was met een limousine voor Susannah's deur gearriveerd.

Susannah stond in de deuropening van een met grijze dakspanen bedekt plattelandshuisje, dat helemaal begroeid was met rozen en 's nachts bloeiende jasmijn.

Hoewel ze een bezoek van Irene verwachtte, was ze toch verbaasd toen ze de enorme zwarte auto voor haar hek zag stoppen. Twee gigantische mannen stonden in de houding terwijl de kleine Irene bij het uitstappen vanaf de achterbank door een derde geholpen werd.

Zijn dat lijfwachten? fluisterde Susannah, nadat Irene en zij elkaar kort omhelsd hadden.

Ja, zei Irene. Het is heel vervelend om ze te hebben, maar ik was gewaarschuwd dat jouw buurt niet veilig is.

Niet zo veilig als jouw kerk, nee, zei Susannah, een beetje geïrriteerd.

Wees maar niet boos, zei Irene. Ik neem ze overal mee naar toe. Ze haalde haar schouders op. Ik heb ze van mijn vader geërfd. Ze horen bij de boot. Hun vaders waren al lijfwachten voor hem. Hij was zo'n onverlaat dat hij wel bewaakt moest worden.

En jij bent zo petieterig, maakte Susannah de redenering in gedachten af, dat je wel beschermd moet worden.

Irene was inderdaad klein. Kleiner dan toen Susannah

haar in haar kerk in Griekenland had bezocht. Ze leek ook ouder, hoewel er maar vijf jaar of zo was verstreken. Haar haar was zo wit als witte orchideeën. De rimpels in haar gezicht waren diep. Zo'n prettig gezicht! Onderzoekend en open. Het gaf Susannah een warm gevoel terwijl ze haar naar binnen leidde.

Pauline had haar dolgraag willen ontmoeten.

Ik heb nog nooit een dwerg ontmoet, had ze gezegd. Wat moet ik doen, buigen?

Daar had Susannah om moeten lachen.

Je moet al buigen om haar een hand te geven, had ze gezegd. Maar het is niet zoiets bijzonders. Haar korte lengte is niet het belangrijkste aan Irene.

Wat dan wel? had Pauline gevraagd.

Susannah dacht over deze vraag na. Even later zei ze: Haar intelligentie, haar wilskracht. En ook haar moed. Ze is erin geslaagd ruim zestig jaar helemaal alleen, en alleen met zichzelf, te leven zonder gek te worden.

O, dat kan ik ook! zei Pauline schertsend.

Nee, dat kun je niet, zei Susannah. En ik ook niet.

————

En nu, terwijl het licht langzaam verdween, ontwaakte Pauline uit haar gemijmer.

In de gevangenissen worden ze gedwongen voor niets te werken, zei ze.

Wat zeg je? vroeg Irene.

In de gevangenissen, waar de jonge mannen zijn opgesloten, en – laten we niet vergeten – de jonge vrouwen ook, worden ze gedwongen te werken; voor nop kleren, honkballen, batterijen, enzovoort, te maken.

Ze vormen een gigantisch exploiteerbaar arbeidspotentieel, zei Susannah.

Zeg, zei Irene, dat doet me ergens aan denken. Iets van de televisie, iets uit Amerikaanse films.

Een plantage, zei Susannah. Gevangenissen zijn de plantages van nu en wat er geproduceerd wordt, wordt geproduceerd door slavenarbeid.

Onze kinderen zitten daar voorgoed, zei Pauline.

Maar Richard niet, zei Susannah vertederd, en Bratman en Will ook niet.

Misschien moet ik hun moeder geen joints aanbieden, zei Pauline, nuchter opeens, terwijl Susannah glimlachte. Zonder gekheid. Ik wil geen bedreiging voor ze zijn en ze slechte gewoontes leren.

Ik geloof in de fundamentele goedheid van marihuana, zei Susannah, zelfs al keert de hele wereld zich tegen haar. Af en toe blowen is geen slechte gewoonte. Alleen voor idioten.

Zoals ik al zei, zei Pauline, misschien moest ik de moeder van mijn kleinzoons maar met rust laten.

Irene, Susannah en Pauline lachten.

Het enige nadeel is dat het je eetlust opwekt, zei Irene. Maar, zei ze, terwijl ze haar hand diep in een uitpuilend boodschappennet stak dat naast haar op de grond lag, voor ieder kwaaltje is er een middeltje. Terwijl ze dit zei, haalde ze er een schitterend verpakte doos Perugia bonbons uit, die door de drie vrouwen gretig werd aangevallen.

Ik mag Pauline (Paul-ie-nie) graag, zei Irene de volgende dag. Om hun kater kwijt te raken wandelden Susannah en zij langzaam door de openbare rozentuin. Ze bleven regelmatig staan om aan een zoet geurende roos te ruiken.

Ook al is ze, ging Irene peinzend verder, naar de meest arrogante, seksistische en voor vrouwen meest vernietigende man genoemd. Hoewel de meeste mensen wordt voorgehouden dat hij een en al barmhartigheid en liefde was.

Wie dan? vroeg Susannah, terwijl ze bij een latwerk bleef staan waarop een witte roos haar overvloedige bloemen in geurige trossen drapeerde.

De heilige Paulus natuurlijk. De man die zo'n hekel aan vrouwen had dat hij eiste dat ze zwegen in de kerk en voorgoed gehoorzaam waren aan hun echtgenoot.

Jee, zei Susannah, en ik dacht dat ze naar haar vader was genoemd. Die heet Paul.

Die Indianen van jullie hebben gelijk dat ze de naam van hun kinderen pas lang na hun geboorte bedenken, zei Irene. Ik heb gelezen dat ze dit doen, daarom weet ik het. Ieders naam moet een speciale betekenis voor hen hebben. Als je niet voorzichtig bent kun je met een naam opgezadeld worden die je beledigt telkens als iemand hem uitspreekt.

Oh Susannah, oh don't you cry for me...! begon Susannah te zingen.

Ja, zei Irene, ik ken dat liedje...for I come from Alabama with my banjo on my knee!

Toen ze dat bekende liedje met Irenes accent hoorde, moest Susannah glimlachen.

Mijn vader zong dat liedje altijd voor me toen ik klein was. Hij was donker, met donkere ogen. Hij had een mooie, vriendelijke glimlach. Hij zong het met veel enthousiasme en dan zat hij altijd op één knie.

Wat een lief beeld, zei Irene. En de Alabama-Indianen, speelden die banjo?

Waren er dan Alabama-Indianen? vroeg Susannah. Als er al zulke Indianen waren, dan denk ik van niet. Waarom weet je zo veel meer over Amerika dan ik?

Natuurlijk waren er Alabama-Indianen, zei Irene. En Mississippi-Indianen. Maar geen Georgia-Indianen, denk ik. Maar wel Florida-Indianen, geloof ik.

Al die namen van mensen en stammen die niet meer bestaan. De mensen gebruiken ze en zijn zich er nooit van bewust. Je wordt er koud van.

Ze zaten nu op een beschaduwd plekje uit de zon. Irene was kortademig en ze was gaan transpireren.

Nou, zei Susannah, Paulines eerste voornaam is tenminste Lily.

O ja? vroeg Irene, terwijl ze in haar handen klapte.

Hoezo, is dat goed? vroeg Susannah.

Het is de beste naam, zei Irene. De Lily of lelie is de bloem van Lilith, de eerste moeder. De wilde vrouw die Adam maar een saaie vent vond en ervandoor ging om elders avonturen te beleven. De vrouw die Eva voorafging.

Echt waar? vroeg Susannah.

Ja. De lelie is eigenlijk een heel oud symbool voor de yoni. De mensen dachten vroeger dat een vrouw zichzelf kon bevruchten met alleen maar een lelie en haar yoni.

Je meent het!

Ja, en toen de Godin van de Nacht melk uit haar borsten kneep en de Melkweg vormde, werden de druppels die op de aarde vielen calalelies.

Dus Lily is een machtige naam. Misschien is het wel Lily die Paul in bedwang houdt.

Susannah lachte.

Het is een heel bijzondere ervaring geweest om met haar samen te zijn, zei ze. Ze is net een of andere achterbuurtgodin, in de beste zin van het woord. Iemand die haar eigen leven heeft geschapen en het ten volle leeft. Maar ik denk nu dat we niet lang meer bij elkaar zullen zijn.

Het spijt me dat te horen, zei Irene.

Lily Paul wil trouwen, ik niet. Ik ben al gebonden aan een leven van experimenteren en verandering. Ik vind dat ik alles in het leven moet proberen – alles wat me interesseert tenminste – voordat ik werkelijk kan begrijpen of alles in het leven me aanstaat. Ik ben bang dat ik versteen, als ik ga trouwen.

Dat zou mooi klinken in een filosofiecollege, zei Irene, maar, zoals jullie zeggen, waar wringt hem nou eigenlijk de schoen?

Hoewel haar eigen leven heel indrukwekkend is, zei Susannah, wil ze mijn leven hebben.

Wat bedoel je?

Ze wil het leven hebben dat ik volgens haar gehad heb.

De 'idyllische' jeugd. De ontwikkelde ouders. De tochtjes met de auto. Het avontuur in Mexico. Hoewel we, als volwassen vrouwen nu, overal naar toe gaan en de gelegenheid hebben om ervan te genieten. Maar dat is niet genoeg voor haar. Ze blijft proberen de vrouw die ze nu is de ervaringen te geven waarvan ze als kind heeft gedroomd. Dat lukt niet, en als het niet lukt wordt ze boos op mij. Ze kijkt me aan en dan voel ik dat ze zegt: je had alles als kind en nu heb je dit ook nog. Het is niet eerlijk!

Heb je haar verteld dat je ook geleden hebt?

Susannah was verrast door Irenes opmerking. Ze fronste haar wenkbrauwen enigszins. Vergeleken met Pauline vond ze niet dat ze veel geleden had. Hoe weet je dat ik geleden heb? vroeg ze.

Irene haalde haar schouders op, een gebaar waarbij haar hele, nietige lichaam betrokken was en dat ze vervolmaakt had.

Iedereen heeft geleden, zei ze. Iedereen heeft geleden als kind, zou ik zeggen. Dat is duidelijk.

Hoe duidelijk? vroeg Susannah.

Irene zuchtte. Kijk eens naar de wereld om je heen, zei ze.

O, zei Susannah.

Het andere is, zei ze, terwijl ze hun wandeling, die nu heuvelafwaarts ging en wat makkelijker voor Irene was, vervolgden, dat ik bezig ben in iets anders te veranderen. Wat, weet ik nog niet. Maar het heeft een sterk solitair karakter.

Je kleding viel me op, zei Irene.

Mijn kleding? zei Susannah.

Je draagt iedere dag alleen maar zwart. De eerste dag dat ik hier kwam vond ik het een beetje vreemd, dat ieder kledingstuk dat je aanhad zwart was. Maar nu ik een paar dagen hier ben, begrijp ik dat zwart een soort uniform voor je is geworden. Wat betekent het?

Susannah stond heel stil, als aan de grond genageld door de opmerking van Irene.

Toen ik uit Griekenland vertrok, zei Irene, heb ik alle zwarte spullen die ik had weggegooid. Nu draag ik groen, ik draag rood, ik draag geel en blauw.

Ja, zei Susannah, ik vind het heel mooi zoals je er nu uitziet. Je ziet eruit als de magische vrouw die je bent.

Het was erg moeilijk die zwarte kleren af te danken, zei Irene. Net zo moeilijk als het was om mijn moeder achter te laten, die daar achter de kerk begraven lag.

Je kunt haar lichaam laten verplaatsen, zei Susannah, die zich een nieuw graf voorstelde dat uitzag op zee en omringd werd door kleurige anemonen.

Dat zal ik op een dag ook doen, zei Irene. Dan neem ik al mijn vrienden mee. Dan zullen we haar begraven en om haar graf dansen en we zullen tegen de wind roepen dat ze een goed mens was.

Ik weet werkelijk niet waarom ik zo veel zwart draag, zei Susannah. Ik had het niet echt in de gaten. Het lijkt gewoon wel alsof ik opeens zwarte kleren in mijn hand heb, als ik me aankleed. Ik schijn me er het meest op mijn gemak in te voelen. Vlei ik mezelf als ik denk dat ze me flatteren?

Irene ademde amechtig toen ze naar Susannah's auto liepen. Zwart, zoals alles, zag Irene.

O, ze flatteren je wel, zei Irene. En de manier waarop

je je haar draagt ook, zo kort, tot vlak bij de schedel. Maar toch mis ik die lange opgerolde vlecht die je hoofd zo mooi accentueerde.

Ik heb hem op een dag zonder erbij na te denken afgeknipt, zei Susannah. Ik had hem al zo lang. Ik wilde er opeens vanaf.

Ik begin, geloof ik, te begrijpen hoe de vork in de steel zit, zei Irene bedaard.

KERK

Wat de dwerg begon te begrijpen, was mij ook al een poosje beginnen te dagen. Mijn hedonistische dochter, Susannah, de vrouw die lief, gedwee, geduldig en welgemanierd altijd precies deed waar ze zin in had, overal naar toe ging, alles deed en van alles in het leven genoot, stond op het punt deze manier van leven achter zich te laten. Ze stond op het punt opgezogen te worden door het zwarte kleed.

Die nacht verscheen ik aan haar in een droom. We waren in Mexico. Maar niet in de sierra's waar we gewoond hadden. We waren in een lange vallei die door glooiende hellingen aan de voet van het gebergte liep en in de buurt van de zee over akkers uitwaaierde. We reden in de laadbak van een vrachtwagen. Zij aan de ene kant, ik aan de andere. We keken elkaar vol verlangen en tederheid aan. Tussen ons verhief zich, hoog opgetast, een glanzende berg gestreepte, donkergroene watermeloenen. Terwijl ze toekeek, trok ik langzaam mijn lange zwarte jas uit en wikkelde er een van de watermeloenen in. Ik sloeg de meloen tegen de bodem van de vrachtwagen. Toen pakte ik hem uit. Ik wenkte haar en hurkte bij de Mexicanen neer die ook in de vrachtwagen reden – die plotseling in een kerk veranderde – en we begonnen te eten.

Ik heb vannacht over mijn vader gedroomd, zei ze de volgende dag tegen Irene.

Was het een prettige droom? vroeg Irene haar.

Ja, zei ze. Ik herinner me er niet veel van, behalve dat we in Mexico waren. We voelden ons heel sterk met elkaar verbonden en waren erg gelukkig.

Droom je vaak over je vader?

Ja, zei Susannah. Voortdurend nu. Dat was heel lang niet zo. Ik sloot hem buiten toen ik klein was. Ik deed de deur tussen ons dicht. Niemand heeft me ooit gewaarschuwd dat het zo veel energie zou vergen om die deur dicht te houden! Of dat ik me aan de andere kant ervan zo eenzaam zou voelen.

Wat is die kreet die je soms in sprookjes hoort? vroeg Irene.

Er is niet genoeg vader! riepen ze allebei, met geveinsde smart.

Ik wist niet hoe weinig vader er was tot ik mijn eigen vader opgaf, zei Susannah. Ik had niet beseft dat het al een luxe was als je een piepklein beetje had.

Mijn vader heeft me verstoten, zei Irene. Het kleinste beetje van zo'n verderfelijke ouder zou al te veel zijn geweest.

En toch heb je al zijn geld geërfd.

En zijn corruptie en zijn vijanden, zei Irene. De wereld ziet dat er een smak geld in mijn kleine schoot geworpen wordt en denkt dat al mijn wonden genezen zijn. Wat een onzin. Mijn vader maakte wapens, zijn bedrijf maakt nog steeds wapens, die aan arme landen verkocht worden met als gevolg dat de mensen elkaar vermoorden. Hij bezat bordelen in Cambodja en Thailand. Hij liet arme jonge kinderen kopen die dan vermoord werden om hun lichaamsdelen. Bah, zei ze. Het is onmogelijk met een schoon geweten geld uit te geven als het op zo'n smerige manier verdiend wordt.

Jee, zei Susannah geschokt, ik benijd je helemaal niet!

Ik ben ook niet te benijden, zei Irene. Ik gebruik het geld van mijn vader om de wereld te zien, maar dat is maar een heel klein gedeelte ervan. De rest moet ik besteden op een manier die goed doet.

Toen mijn ouders naar Mexico gingen om de Mundo's te bestuderen, zei Susannah, hadden ze heel hard geld nodig. Niet één antropologisch genootschap wilde hen steunen. Het ging er toen overal erg racistisch toe. Meer nog dan nu. Wat een verschil zou het hebben gemaakt als iemand als jij er was geweest om hen te financieren!

Ik vind het belachelijk en uiteindelijk beledigend om mensen te bestuderen, zei Irene. Ik denk dat je andere mensen alleen zou hoeven te bestuderen als je bang was dat je zelf niet menselijk was.

Susannah lachte. Ik heb vaak gedacht dat het een heel Europese gewoonte is om andere volkeren te bestuderen. Andere mensen die vreemde volkeren ontmoeten willen met ze dansen en eten, gaan zwemmen en praten over wat voor interessante en bijzondere wilde dieren er bij hen leven. Ze gaan liever op hun gemak zitten en roken marihuana of de vredespijp, luisteren naar muziek en ontspannen zich.

Ja, omdat zij niet gekomen zijn om alles te stelen, zei Irene.

Denk je dat Europeanen werkelijk hier vandaan komen? vroeg Susannah. Ze schijnen niet erg veel van de aarde te houden.

Waar zouden we anders vandaan komen? vroeg Irene.

O, ik weet niet, van een andere planeet, zei Susannah. Een plaats waar het onnatuurlijke natuurlijk is.

We komen wel van de aarde, zei Irene. Maar vergeet niet dat wij de ijstijd hebben meegemaakt. Die is heel onverwacht gekomen, net zo onverwacht als de ontvoering van Persephone. Ik heb vaak gedacht dat de mythe van Demeter en Persephone een metafoor was voor de plotselinge komst van de ijstijd. We werden door de guurste winter overvallen waaraan, voor talloze generaties van onze voorouders, geen eind kwam.

Echt waar?

Ja, zei Irene. De ijstijd heeft iets in ons vernietigd, of hevig verminkt. Iets menselijks. Hij heeft ons vertrouwen in de natuur vernietigd, ons geloof dat de aarde van ons hield of dat ze echt ons huis was zelfs. Alles waarvan we hielden en waarop we vertrouwden, had zich tegen ons gekeerd en behandelde ons met verachting.

Irene lachte plotseling. En toen die verkleumde Europeanen tenslotte in de warmte terechtkwamen die jullie mensen hier in het Zuiden en in India en Afrika genoten hadden terwijl zij stierven van de kou, waren ze maar wat nijdig!

Het is zo heerlijk om naar je te luisteren, Irene, zei Susannah, want blanke mensen bestuderen zichzelf, als blanken, over het algemeen bijna nooit, zoals je weet. Ze bestuderen óns liever en schrijven dan dat we toch niet helemaal hun gelijke zijn.

Ze willen er gewoon niet aan dat ze zelf de buitenbeentjes zijn. Ze snappen het niet en ze zijn bang dat ze zullen ontdekken hoe anders ze zijn dan de rest van de mensen op deze wereld. Liever dan een vernedering te riskeren en te moeten toegeven dat ze aan een minderwaardigheidscomplex lijden, hebben ze de afgelopen millennia geprobeerd te bewijzen dat alle anderen minder zijn en dat er met hen iets mis is.

Irene snoof verachtelijk. Maar ze hebben hun afwijkende gedrag nauwkeurig gedocumenteerd, op de televisie. Daar is het voor het hele universum te zien. Ieder ogenblik vernietigen ze iets, vermoorden ze vrouwen, en je kunt het toestel niet aanzetten of je kijkt in de loop van een geweer.

Hoe zou de televisie in Tibet bijvoorbeeld zijn? zei Susannah. Ze herinnerde zich dat in Kalimasa het poppenspel, dat ooit massa's dorpelingen had vermaakt die zich om het kleine toneel midden op de markt samendrongen, met de komst van televisie eenvoudig op de tv was uitgezonden en dat de mensen er nog steeds graag naar keken. Maar gaandeweg waren er steeds meer westerse films en televisieprogramma's gekomen, en de schaars geklede bevolking keek tenslotte vol afgrijzen toe terwijl er kolossale gebouwen voor hun verschrikte ogen de lucht in vlogen, mannen elkaar om bergen geld vermoordden, vrouwen zich voor de grap prostitueerden en iedereen een vuurwapen had.

Het andere dat Europa verloor, zei Irene, was haar moeder. Haar sterke moeder.

Wat bedoel je? vroeg Susannah.

Ik bedoel dat in de Middeleeuwen de christelijke kerkvaders haar verbrandden op de brandstapel. De heksenverbrandingen, weet je nog?

Susannah zuchtte. Ja, zei ze tenslotte, vechtend tegen

een onverwachte vlaag van wanhoop. Je moet er toch niet aan denken dat je sterkste, beste, meest begaafde vrouwen–

En meest wijze, voegde Irene toe.

En ook de beste mannen, ging Susannah verder. Want de beste mannen houden altijd van vrouwen. Denk je eens in dat die allemaal opgepakt, gemarteld en willens en wetens ter dood werden gebracht, en dat eeuwenlang!

Irene huiverde.

En vervolgens 'ontdekten' deze christenzonen van de Inquisitie ons heidenen, rondtrekkend in een warm klimaat, onze moeders nog steeds hoog in aanzien als vroedvrouwen en genezers, onze ouders nog steeds rijk aan kennis over hoe om te gaan met de planten en de aarde.

Jaloezie! verzuchtte Irene. Ik krijg al kippenvel als ik eraan denk. Liever hoofden afhakken en Indiaanse baby's doormidden klieven, of zwarte families in Afrika splijten door hen wreed tot slavernij te dwingen – wat ze allemaal deden – dan zich realiseren dat de 'onbeschaafde' wereld, in tegenstelling tot Europa, niet zover is hoeven gaan om zijn moeder te vermoorden en zijn geest te halveren.

Net als mijn moeder, die altijd in mijn vaders ziel tuurde door het waas van verlangen van zijn liefde voor haar, tuur ik altijd door het waas van mijn orgasme zelf. Ook ik ben op zoek naar wat er werkelijk achter schuilgaat.

Lily Paul zag er verontrust uit. Zij hoopte dat ze er niet meer dan een korte onderbreking van orgastisch genot zou vinden.

Nee, zei Susannah, dit betekent niet dat je als minnaar tekort bent geschoten. Integendeel juist, meid. Je bent fantastisch geweest. Je bent de minnaar geweest die me het dichtst bij de deur van mijn andere geaardheid heeft gebracht.

Susannah lachte toen ze dit zei en ze zag een twinkeling van ironie in de heldere bruine ogen van Lily Paul.

Dank je, zei Lily Paul droog.

Ja, zei Susannah. Zonder onze verhouding zou ik nooit geweten hebben hoe ver ik af was van wat mogelijk was. Welke geestelijke hoogten bereikt konden worden door zo'n lichamelijke daad. Geen wonder dat de kerk het als het werk van de duivel heeft afgeschilderd.

Nogmaals bedankt, zei Lily Paul, denk ik.

O ja, zei Susannah. Ik ben je dankbaar.

Maar je wilt niet met me trouwen?

Alleen als we kinderen zouden willen, zei Susannah. En

wat moeten we op onze leeftijd met kinderen beginnen?

Bah, zei Lily Paul.

Susannah grijnsde.

Ik vind het verbazend dat vrouwen nog steeds kinderen krijgen, zei Lily Paul.

Niet iedereen heeft jouw jeugd gehad, lieveling. En zelfs jij bent blij dat je een zoon hebt. Tussen haakjes, verbeeld ik het me of is het waar dat alle zwangere lesbiennes een zoon ter wereld brengen?

Ze krijgen in ieder geval meer dan ze verwacht hadden, zei Lily Paul. En we hopen allemaal zo vurig dat het een meisje zal worden, verzuchtte ze. Je zou nog aan het bestaan van de Godin gaan twijfelen. Maar ben je niet op z'n minst nieuwsgierig? vroeg ze aan Susannah.

Naar een kind krijgen? Nee, zei Susannah. Ik zou wel graag een bevalling hebben meegemaakt, net zoals would-be schrijvers graag een boek zouden hebben geschreven. Om de ervaring. Ik begrijp trouwens niet hoe mannen het kunnen verdragen, het besef dat ze nooit zullen weten hoe het is om een kind ter wereld brengen. Dat moet hun ego wel een flinke knauw geven.

Ze zouden niet tegen de pijn kunnen, zei Lily Paul schimpend. Ze zouden flauwvallen bij het zien van bloed.

Ze hebben zich afgesloten van het bloed van de vrouw, zei Susannah. Maar wat moeten ze het missen! Ze zijn er tenslotte van gemaakt.

Daarom voeren ze natuurlijk oorlog, zei Lily Paul. Daarom vermoorden ze elkaar.

Om bloed te zien? vroeg Susannah.

Om bloed te zien. Om het ontzaglijke, het angstaanjagende, het raadselachtige ervan te ondergaan.

Ze hadden ons beter gewoon kunnen laten vloeien, zei Susannah.

Nee, zei Lily Paul. De geboorte was een te machtige ceremonie. Het is de belangrijkste ceremonie die er bestaat, en terecht. Er leidt rechtstreeks een spoor van bloed naar toe. Als je dat spoor uitwist kun je voorkomen dat mensen die ceremonie ontdekken. Dan kun je doen alsof ze niet eens plaatsvindt; en als ze wel plaatsvindt, dat het niet echt belangrijk is. Dan kun je doen alsof je eigen ceremonies er geen imitatie van zijn.

Ik ben niet tegen een ceremonie die onze ware verhouding eert, zei Susannah.

En wat is die dan, naar jouw mening?

Jij bent mijn leermeester geweest, zei Susannah. Je hebt me een vrijere en veel diepere seksuele beleving geleerd. Ik ben je leerling, zei ze, terwijl ze Paulines hand pakte om deze te kussen.

Pauline trok snel haar hand terug. Lieve godin, zei ze, soms ben je echt hinderlijk!

Zo ben ik nu eenmaal, zei Susannah en ze lachte.

Ik heb van jou ook het een en ander geleerd, zei Lily Paul, na een paar minuten gezwegen te hebben.

O, zei Susannah, die nu ernstig werd.

Ja, zei Lily Paul. Echt onderwijs is nooit eenrichtingverkeer.

Ai! zei Susannah.

Jazeker, zei Lily Paul. Ik kan net zo hard studeren als jij. En wat ik van die jaren waarin we samen geblokt hebben geleerd heb, is dat ik jou niet kan bezitten en jou niet kan zijn. En dat ik ook jouw jeugd niet kan krijgen in plaats van de mijne. Ik zit vast aan wie ik ben, zei ze, terwijl ze een zilveren lok om haar vinger krulde. Ik probeer mezelf voor te houden dat dat niet zo erg is.

Niet zo erg! zei Susannah lachend. Niet zo erg! Lieveling, dat is fantastisch! Je bent adembenemend, rijk, geweldig in bed en je kunt heerlijk koken. Wat wil je nog meer?

Een leven met jou, zei Lily Paul koppig.

Susannah bleef kalm zitten en keek Lily Paul glimlachend aan.

Een leven met mij zou als een leven met de wind zijn.

Begin maar te waaien, zei Lily Paul.

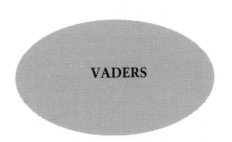

VADERS

De kathedraal van de toekomst

De kathedraal van de toekomst zal de natuur zijn, señor, zei Manuelito. Uiteindelijk zullen de mensen terugkeren naar de bomen, de rivieren, de stenen waarop niets gebouwd is. Dat geloven de Mundo's.

Dit was de jongen die mijn schoonzoon had kunnen zijn. Waarom was ik zo dom geweest de loop van het leven te veranderen? Ik had misschien kleinkinderen gekregen die als wijze volwassenen op de wereld leefden en deze dingen aan anderen leerden!

Niemand bij de Mundo's gelooft dat er iemand op aarde is die echt weet waarom we hier zijn, señor. Zelfs om er maar enig idee van te hebben, zou je een enorm stel hersens moeten bezitten. Een computerbrein. Daarom hebben wij, de Mundo's, verhalen in plaats van ideeën.

Dus je beweert, zei ik tegen Manuelito, dat je met verhalen meer speling hebt dan met ideeën?

Hij lachte.

Dat klopt, señor. Het is alsof ideeën van blokken zijn gemaakt, hard en onbuigzaam, en verhalen van een elastisch gaas. Je kunt er bijna doorheen kijken, dus wat er achter ligt prikkelt je nieuwsgierigheid. Je kunt het niet precies zien; en omdat de verbeelding altijd voorwaarts gaat, span je jezelf voortdurend in. Door verhalen te vertellen oefenen we onze geest.

Maar jullie hebben toch wel ideeën!

Natuurlijk wel. Maar we weten dat ze hun beperkingen hebben. Daarna zijn er altijd de verhalen!

Hij had me verteld dat hij een tijdje weg moest. Tijdens zijn afwezigheid moest ik het inwijdingslied instuderen. Het laatste couplet was een raadsel voor me, het couplet dat eindigde met: *por la luz de los ojos de mi padre.*

Nee, nee, señor, zei Manuelito. U zegt steeds bij het licht van de *ogen* van mijn vader. Dat is niet goed. Het is *por la luz de la sonrisa de mi padre!* Bij het licht van de *glimlach* van mijn vader.

Ik haalde mijn schouders op. Dat lijkt me alleen maar logisch, zei ik. De ogen hebben licht, zei ik. De tanden niet.

Stelt u zich de glimlach als een maansikkel voor, zei hij, hoog aan de nachthemel. Voor de Noord-Amerikanen is hij zijwaarts gekeerd, maar op ons halfrond is hij omgekeerd als een schaal of een boot, zodat hij op een glimlach in een donker gezicht lijkt, niet waar?

O, zei ik. Ik had nooit echt over de maan nagedacht.

Maakt u zich geen zorgen, señor. U hoeft alleen maar te oefenen. Als de tijd gekomen is, zult u het begrijpen.

Waarom moet je weg? vroeg ik.

Weet u nog dat ik zei dat iedereen die doodgaat twee taken heeft? Nou, voor mijn andere taak, die niets met u of Magdalena te maken heeft, moet ik naar Viëtnam.

Ik besefte wat dit voor hem zou kunnen betekenen. Ik strekte mijn armen uit. Het spijt me, zei ik, terwijl ik hem omhelsde.

Heb maar geen medelijden met me, señor. Ik ben tenslotte al veilig dood. En zoals u merkt, is het geen slecht leven.

Maar in Viëtnam is een kind, een klein meisje dat haar levenslust verloor toen haar ouders werden vermoord. Ze is nu een prostituee in de straten van DaNang, en gaat langzaam dood aan AIDS.

Heb jij haar ouders vermoord? vroeg ik.

Ja, zei hij eenvoudig. Nadat ik haar in een graanmand had verborgen. Blijkbaar heeft ze door de spleten ervan gekeken. We hadden het bevel gekregen het dorp te vernietigen. En toen hebben we het vernietigd.

Hoe kun je haar onder ogen zien? vroeg ik.

Ze zal doodgaan en dan is het niet moeilijk meer.

Maar ze zal je haten, zei ik.

Nee, zei hij. Ze zal onmiddellijk begrijpen dat ik iets terugbreng dat ze verloren heeft. Het is wat ze het liefst in de dood mee wil nemen.

En wat is dat? vroeg ik.

Het ogenblik vlak voordat haar ouders werden doodge- schoten. Het laatste ogenblik dat ze zichzelf nog was. Het laatste ogenblik dat ze ongeschonden was. Dat ze een ziel had. Het is toch verbazend te bedenken dat wij dat ene ogenblik gedeeld hebben. Alleen wij tweeën en niemand anders ter wereld. Volslagen vreemdelingen, die geen van beiden de taal van de ander sprak, behalve via de ogen. En toch heb ik haar gered omdat ze me aan Magdalena deed denken, op die eerste dag dat we elkaar ontmoetten, die dag dat ze op mijn voet trapte.

Manuelito lachte.

Hoe kun je lachen! zei ik.

Ach, señor, zei hij, de lach is niet eens de keerzijde van tranen, maar tranen binnenstebuiten gekeerd. Het lijden is werkelijk groot hier op aarde. We sukkelen maar voort, verscheurd door onze dwalingen, neergeslagen door onze fouten. Zonder er enig benul van te hebben waar het donkere pad ons heen leidt. Maar over het algemeen strompelen we dapper voort, vindt u niet?

En daarom lach je, zei ik.

Ja, ik lach, zei hij, terwijl hij zijn hand opstak en wuifde en een traan probeerde te verbergen.

DRAKEN

Susannah luiert in een dekstoel op het dek van Irenes jacht. Ze heeft een rood T-shirt met laag uitgesneden hals aan en een donkergroene korte broek die met zwarte knoopjes opzij dichtgaat. Haar voeten steken in witte espadrilles. Haar haar is langer geworden sinds ze met Irene op reis is en valt nu in zwarte glanzende lokken die op die van Pauline lijken; haar slanke lichaam lijkt diep gebruind tegen het kaki van de stoel. Ze leest een brief van Pauline.

Het eerste wat er met vrouwen gebeurt, als ze merken dat het goed kan gaan als ze samen zijn, is dat ze opeens bang worden. Het is alsof ze elkaar aankijken en ontdekken dat ze in draken zijn veranderd.

Mijn dochter glimlacht om dit beeld. Ze heeft plezier in deze gedachtenwending van haar vroegere (denkt ze) geliefde, en ze kijkt uit over de spiegelgladde zee. Ze mist Pauline alleen als ze niets van haar hoort. Dit verbaast haar. Zodra ze een brief krijgt, heeft ze het gevoel dat ze haar helemaal niet mist. Maar nu denkt ze: Hoort dat gewoon bij het karakter van de draak en onze voorstelling ervan? Ze houdt de brief zo vast dat hij haar ogen tegen de zon beschermt.

Ik mis je, ging de brief verder. Schaamteloos. Ik denk voortdurend aan je. Iedere minuut van de dag. Ik maak zelfs extra minuten waarop ik je kan missen. In mijn verbijstering heb ik een nieuw dessert gecreëerd, een volkomen gezond en verrukkelijk bramengebak. Het heet *Oh Susannah!* De klanten vinden het heerlijk!

Susannah strekt haar armen boven haar hoofd uit en ruikt onwillekeurig aan haar oksels. Ze verbeeldt zich dat het hoofd van Pauline, haar zilveren lokken, daar gevlijd ligt. Geschrokken knippert ze met haar ogen.

Het loopt nooit van een leien dakje, las ze. Of je nu met een vrouw of, stel ik me voor, met een man samen bent. Een van mijn vriendinnen zegt zelfs dat als je echt met mannen te doen wilt krijgen je met vrouwen moet gaan vrijen. Dacht je dat ik geen problemen zou hebben? Beter zou zijn dan Petros? Gevoeliger dan die andere vent over wie je nooit wilde praten? Ik heb ook problemen. Ik probeer ze op te lossen. Wat kan een mens nog meer doen?

Op dat moment ging Susannah rechtop zitten. Het was lunchtijd en ze zag Irene naar haar toe komen.

Heb je gemerkt dat de boot stil ligt? vroeg Irene, terwijl een van de bemanningsleden kommen en slavorken neerlegde.

O ja? vroeg Susannah verstrooid. Ze dacht nog steeds aan Pauline en was eigenlijk in haar hoofd aan een antwoord bezig, dat ze later via e-mail zou versturen vanuit haar werk/studeerkamer, die Irene heel attent voor haar had ingericht op haar verbazend goed georganiseerde en van alles voorziene boot. Ze bleef hangen op één regel, de eerlijkste regel die ze ooit zou kunnen schrijven: Jij bent een draak, ik ben een draak; ja, ik ben bang.

Daar, vlak bij die uitspringende rots, zal ik mijn moe-

der te ruste leggen, zei Irene, terwijl ze naar een glooiende helling wees die in de zee leek te glijden en waarop
gele grassoorten en kleurige anemonen in het zonlicht
blonken. Hoeveel zon Irene ook kreeg, ze scheen nooit
bruin te worden. Nu tuurde ze in de richting waarin ze
wees, haar huid zo wit als papier en gespikkeld met
bruine levervlekken.

Ah, zei Susannah, die zich leek te ontspannen toen ze
het spectaculaire panorama zag. Het is prachtig. Wat een
uitzicht zal ze hebben!

Ja, zei Irene, die geitenkaas en het vocht van haar
salade met een stukje brood opveegde. Het is geen slechte plaats om de eeuwigheid door te brengen.

De eeuwigheid. Dat woord zette Susannah diep aan
het denken over het moment van nu. Het moment waarop ze verdiept was in de dochterlijke intenties van Irene.
De laatste tijd had ze, misschien omdat ze ouder werd,
nu en dan van die momenten gehad die ondoordringbaar
en onbevattelijk, waarachtig en eeuwig leken. Ze leken
zich, op de een of andere manier, voorbij en buiten de tijd
af te spelen. En op dit specifieke moment voelde ze zich
loom van het statige, haast onmerkbare deinen van de
boot, de uitstekende gegrilde vis en overvloedige Griekse salade, de prikkelende witte wijn en het gezicht van
haar vriendin, terwijl Irene naar het landschap van het
Griekse eiland en recht in het hart van haar mishandelde
en verstoten moeder keek.

Het is niet zo ver van mijn vroegere gevangenis, zie je,
zei Irene.

En inderdaad, iets naar rechts, maar veel dichter bij de
zee, stond het kleine witte kerkje. Alleen werd het nu

omringd door andere gebouwen waarin een crèche, een ziekenhuis, een school en een vrouwencentrum gehuisvest waren. De kerk zelf was veranderd in een ruimte waar mensen heel oude rituelen konden leren die ooit bij het Griekse volk geliefd waren geweest. Ze behelsden dansen en bidden als één. Eten en bidden als één, en liefhebben en bidden als één.

Het is nu zo anders dan het vroeger was, zei Irene. Ik heb in de eerste plaats een reusachtige open haard aan de ene kant laten bouwen, een open haard waarin gekookt kan worden. Voor mij is dat altijd wat er in kerken ontbreekt.

Vuur? vroeg Susannah.

Natuurlijk, zei Irene.

Maar zwavel genoeg, zei Susannah lachend.

GERED WORDEN

Mijn dochter droomt over haar angst waarheen het leven haar zal leiden. In de droom zijn twee vrouwen die haar elk voedsel aanbieden. Ze begint opgewekt te eten. Ze geniet ervan. Als de eerste vrouw dit ziet, begint ze langzaam zout over alles te strooien. Susannah wendt zich hoopvol tot het voedsel dat door de andere vrouw wordt aangeboden. Deze vrouw laat kalm een dun straaltje zand op het eten lopen.

Ze zit de volgende dag bij Irene en vertelt haar deze droom.

Irene heeft haar tarotspel en spreidt de kaarten uit.

Op een ervan staat een vrouw die het haar van een andere vrouw afknipt.

De vrouw van wie het haar wordt afgeknipt is zich niet bewust van wat er gebeurt. Ze kijkt in een grote spiegel die niet laat zien wat er met haar gedaan wordt. Ze is zo ingenomen met haar spiegelbeeld dat ze glimlacht. Ze ziet de fronsende blik van de andere vrouw niet.

O, zegt Irene. Het troebele gebied van de gelukkige verdwaasden.

O, verdomme, zegt Susannah, terwijl ze naar de kaarten tuurt. Maar ik herken mezelf tenminste.

Je bent zo verdwaasd dat het een wonder is dat je zo'n oprecht mens bent, zegt Irene.

Zo vecht ik, denk ik, tegen mijn verdwazing, zegt Susannah.

Op een andere kaart, die Irene aandachtig bekijkt, staat een vrouw die op een grote olifant zit. Ze denkt dat ze alles onder controle heeft, maar de olifant staat op het punt over een kei te stappen waardoor ze uit het zadel zal vallen. Naast de olifant staat een vrouw, heel klein, die naar haar roept en haar voor het gevaar probeert te waarschuwen. Maar ze is zo geobsedeerd door haar eigen macht dat ze niets hoort. Gelukkig verschijnt er net bij de rand van de kaart een piepklein engelenvleugeltje. Nog niet eens een hele engel, alleen maar de belofte ervan. Als de vrouw tot bezinning komt zal ze gered worden.

Wat betekent dat, gered worden? vraagt Susannah.

Ik geloof dat het bewustwording betekent. Irene tuit geconcentreerd haar lippen, terwijl ze de kaarten bestudeert. En wat deze kaart zegt, is dat die mogelijkheid steeds dichterbij komt.

Gelukkig! zegt Susannah.

Je droom gaat over je zusje, die kolossale zus waarover je me verteld hebt, zegt Irene.

Magdalena? vraagt Susannah die opeens kaarsrecht zit.

Ja. En hij probeert je attent te maken op haar gelijkenis met Pauline.

Wat zeg je nou? vraagt Susannah, met haar ogen knipperend.

Irene haalt haar schouders op. Ik heb zelf nooit een minnaar gehad, maar ik heb er vele gekend. Ik heb ze de kaart gelezen. Ze worden altijd verliefd op leden van hun eigen familie.

Maar dat is belachelijk, zegt Susannah.

Irene was een klein *cohiba*-sigaartje (speciaal voor haar, op bestelling, in Cuba gerold) beginnen te roken. Onder het praten blies ze de rook uit haar mondhoek uit.

Ergens hebben je zus en je minnaar een raakvlak, absoluut.

Susannah denkt aan de agressieve Magdalena, de zinnelijke Pauline. En waar is dat dan in 's hemelsnaam? vraagt ze snuivend.

Precies in het midden van je leven.

Como?

Heb je me niet verteld dat Pauline jouw jeugd wilde, dat ze hunkerde naar het leven dat jij volgens haar gehad had?

Ja, zegt Susannah onzeker.

En probeerde ze je dat leven niet af te nemen, zelfs nu jullie volwassen waren, door de ogenblikken te bederven die jullie samen doorbrachten en die bedoeld waren als compensatie voor wat zij nooit had gehad?

Susannah denkt aan de, bijna altijd rampzalige, reisjes die ze met Pauline had gemaakt. Kalimasa komt haar weer voor de geest, met al zijn wanhopige wellust. Pauline die als een tiener over het platteland holde, even onbekend met de oude zeden van de cultuur als de eerste de beste achterbuurtjongere, helemaal weg van zichzelf en de helft van de jongens die ze tegenkwam.

Dit was ook jouw tweede jeugd, zegt Irene. Maar die heeft ze voor je bedorven.

En toch, denkt Susannah, had seks met Pauline, net als het gevrij van haar ouders, haar jeugd op de een of andere manier teruggebracht. Het gevoel dat ze nog een kind was dat iets ondeugends deed, maar in een toverland aan haar straf ontkwam.

Susannah, zegt Irene glimlachend, je bent zo verdwaasd, je zo weinig bewust van wat zich precies afspeelt, dat je je eigen lijden en de mishandeling die je zelf ondergaat niet eens herkent. Je denkt dat iedereen het moeilijker heeft dan jij. Geen wonder dat deze twee vrouwen in je leven je een klap op je kop hebben willen geven.

De tranen springen Susannah in de ogen.

Nee, nee, zegt Irene, klokkend als een kip tegen haar kuiken, terwijl ze haar hand vastpakt. Ik wil je niet óók een klap op je kop geven. Ik ben een heel oude vrouw en ik begrijp het. Je hebt een geestelijke breuk geleden. Ik ben misschien de engel die gekomen is om erbij te helpen dat hij eindelijk goed gezet wordt.

Een *geestelijke* breuk? vraagt Susannah schor. Ze voelt dat die beschrijving haar wond precies karakteriseert en ze begint te huilen.

Ja, zegt Irene. Het is maar een kleine breuk. Je geest is niet helemaal gebroken, zoals bij je zus.

En wat heeft Magdalena daar mee te maken? vraagt ze snuffend aan Irene.

Irene lacht. Pauline was de vrouw die zand strooide, zegt ze. Zelfs jij voelde aan dat er iets niet in orde was. Magdalena was degene die zout strooide. Op zichzelf is zout een smaakmaker, het hoort in voedsel. Daarom merkte je er haast niets van tot het te laat was.

Te laat? zegt Susannah.

Ja. Op heel veel verschillende ogenblikken had je de band met je vader kunnen herstellen, maar er stond een zoutvaatje vlak naast je. Voor je het wist, had Magdalena op allerlei manieren je voedsel zo zout gemaakt dat het niet meer te eten was. Een woordje hier, een gefluisterde opmerking daar. Het zou verboden moeten worden de jongste in het gezin te zijn. Als ze willen, kunnen de ouderen je toch zulke verdraaide feiten en leugens voorschotelen!

Susannah leunt zuchtend achterover in de dekstoel; ze is doodmoe.

Ik begrijp nog steeds het verband tussen Pauline en Magdalena niet, zegt ze met een onpasselijk gevoel in haar maag. Alleen bij de gedachte al dat die twee iets gemeen zouden hebben, voelt ze zich een beetje schuldig aan incest. Ze gelooft dat ze zich zo meteen uit haar stoel zal moeten hijsen om naar de reling te wankelen en over te geven.

Hier, zegt Irene, die ziet dat ze wit om de neus begint te worden, kauw maar op dit muntblaadje.

Precies datgene waarom ze je haatten, omdat jij het had en zij niet, probeerden ze je allebei af te nemen, zegt Irene.

Mijn jeugd?

Ja, zegt Irene, maar meer nog dan dat de kalme manier waarop je gelukkig was.

Bwah! zegt Susannah, terwijl ze uit haar stoel overeind schiet en, slingerend, naar de zee vliegt.

Je zit op een boot! Heel hoog! roept Irene haar na. Vergeet dat niet.

Susannah is het zowaar vergeten.

Nu hangt ze kokhalzend over de reling, die haar tegenhoudt en vasthoudt en verhindert dat ze misschien een dodelijke val maakt. Maar ook de stem van Irene, haar gekke kleine *watti-tuu, engel,* die tot leven is gekomen, voorkomt dat ze valt.

Maar ik wilde dat zij ook gelukkig zouden zijn! jammert ze, terwijl ze zich op haar knieën laat zakken zodat ze haar grote hoofd in Irenes kleine armen kan laten rusten. Waarom konden ze dat niet begrijpen en mijn geluk met rust laten!

Jij bent met je geluk geboren en hebt het op de een of andere manier weten te behouden, zegt Irene zacht. Daarom leek het in de ogen van anderen alsof je nooit in opstand kwam. Zelfs als je tegen de draad inging was je gelukkig. Je glimlachte nog, als je ondeugend was en zelfs als je ervoor gestraft werd! Soms is er niet méér voor nodig om van een ander je vijand te maken.

Wat zeg je? vraagt Susannah, die het niet gehoord had.

Irene schiet het sigarenpeukje door de reling in zee. Daarna droogt ze heel voorzichtig Susannah's tranen af met een stukje van de mouw van haar bobbelige witte linnen jasje.

Ik zei, ze kunnen de pot op, zegt ze.

En toch zat er de volgende morgen, om onverklaarbare reden, een groot, zorgvuldig verpakt pakje bij de post, die in een gammel bootje, waarvan de riemen op een oeroude manier kraakten, naar het jacht van Irene werd geroeid. Susannah pakte het langzaam uit, aarzelend en wantrouwend tegenover de inhoud en staarde toen vol verbazing naar een vierliterfles van doorzichtig plastic die tot de rand toe met gomballen met groene-appelsmaak was gevuld.

Oversteken

Ik weet niet
waar ik
vandaan kom
Ik weet niet
waar ik heen ga
Ik weet alleen
dat ik
in mijn hart voel
dat ik hier ben
en *verbaasd*
een heel klein deel
van de *Liefde*

Het is tijd, señor.

Manuelito was teruggekomen en had me gadegeslagen terwijl ik het laatste couplet van het inwijdingslied van de Mundo's instudeerde.

Bent u gereed? vroeg hij.

Ah, Manuelito, zei ik, terwijl ik mijn armen opende om hem te omhelzen. Wat zie je er stralend uit! Nog stralender dan eerst. Ik ben gereed, zei ik, met jouw hulp.

Hij glimlachte.

Is alles goed gegaan waar je bent geweest? vroeg ik.

Alles is heel goed gegaan, señor. De jonge vrouw die ik

onrecht heb gedaan is vrij en kan zich nu aan haar eigen twee taken wijden.

Maar ze was nog maar een kind toen haar het onrecht werd aangedaan, zei ik, dus kan haar het verdriet dat ze anderen later heeft berokkend toch niet worden aangerekend?

Zo werkt het niet, señor. We zijn schijnbaar verantwoordelijk voor alles wat we doen, hoe de reeks van gebeurtenissen ook is begonnen.

Maar is dat rechtvaardig? vroeg ik. Is dat eerlijk?

Manuelito haalde zijn schouders op.

We stonden nu op een berghelling die uitzag op een vallei. Zich uitstrekkend over de helling tot beneden in de vallei, waardoor een glinsterende rivier stroomde, groeiden duizenden blauwe wilde bloemen. Het was adembenemend mooi en ik herkende het onmiddellijk.

We zijn in de bergen terug! riep ik.

Ja, zei Manuelito.

Je geboorteland!

Ja, zei hij weer.

Zijn we dicht bij mijn oude huis? vroeg ik, terwijl ik me omdraaide en de omgeving afspeurde.

Nee, señor, niet bij uw huis, maar bij het mijne. Bij het huis van Magdalena en mij.

Van jou, stamelde ik, en Magdalena!

Si, zei hij.

Ik keek overal om me heen. Er was geen huis te zien.

Hier is het, zei hij, met bescheiden trots, terwijl hij achter een struik een grot binnenstapte.

Het was een kleine ruimte. Een oude deken lag op de grond. Een grote aarden kruik met een deksel erop stond naast een steen. De vloer was glad alsof hij pas geveegd was. Door de takken van de struik die de ingang beschutte, keek ik naar buiten waar een oogverblindende massa blauwe bloemen zo dicht op elkaar groeide dat ze in de zee leek veranderd tegen de tijd dat ze bij de vallei kwamen en zich naar alle kanten verspreidden.

Ja, zei Manuelito. Toen Magdalena en ik hier waren keken we ook naar buiten, net zoals u nu doet, en verbeeldden we ons dat we wegdreven op een grote boot.

Is dit een deel van de ceremonie? vroeg ik.

Ja, zei Manuelito. De Mundo's vinden het gepast dat ongeveer een week voordat hun kinderen gaan trouwen de jonge man de vader van de jonge vrouw in de ruimte uitnodigt die hun huis zal worden. Het is belangrijk dat hij ziet wat voor uitzicht ze zal hebben, zodat hij zich een voorstelling kan maken van de steeds groter wordende ruimheid van haar hart; het is belangrijk dat hij ziet waar ze zal leven, waar ze bemind zal worden, waar ze zal rusten.

En haar moeder? vroeg ik.

Dat is een ceremonie die nog eerder komt; die zou de week daarvoor hebben plaatsgevonden. U kunt zien dat de vrouwen hier al zijn geweest. De vloer is geveegd, er zit water in de kruik. De deken is op de vloer uitgespreid. U en ik gaan brandhout sprokkelen en voedsel zoeken. Beter gezegd, u en ik zouden dat hebben gedaan, zei hij.

Manuelito schraapte zijn keel.

Vindt u het goed genoeg, señor? vroeg hij.

Jaren geleden zou ik het natuurlijk niet goed genoeg hebben gevonden. Deze puinhoop, zou ik schimpend hebben gezegd, dit *hol*?

Het is volmaakt, mijn zoon, zei ik.

Als het in orde is, zei hij, kunnen we beginnen.

———

In de verte zag ik iets of iemand bewegen. Toen het dichterbij kwam, zag ik dat het een vrouw op een zwart paard was. Toen het nog dichterbij kwam, zag ik dat het Magdalena was. Niet de Magdalena met de verwrongen geest, niet de woedende en zwaarlijvige Magdalena, niet de groteske Magdalena. Maar Magdalena zoals ze was voor ze zo veel begon te eten. De lange, soepele Magdalena, de kordate Magdalena, die eigenzinnig en kalm was. Ze was ongelooflijk mooi, en ik was geschokt toen ik besefte dat ik dit nooit echt gezien had. Haar huid was heel donker en had werkelijk de kleur van chocola. Bittere chocola. Haar ogen waren groot en uitdagend; haar volle haardos wild als de wind. Ze had een laag uitgesneden, spierwitte blouse aan; haar wijde groene rok was omhoog geschoven zodat haar dijen glansden in de zon. Het was alsof ik haar nooit eerder had zien rijden; het paard en zij waren één.

Ik keek lang toe hoe ze naderbij kwam; ze reed heel snel maar kwam heel langzaam vooruit.

Ik keek naar Manuelito, die met zijn ogen uitsluitend de komst van mijn dochter volgde, zijn hele gezicht stralend van liefde. Zo helder blonk zijn hele wezen dat ik me er bijna door verzengd voelde, en ik was gedwongen een andere kant op te kijken.

Er is iets dat ik u, geloof ik, heb vergeten te vertellen, señor, zei hij.

Wat dan? vroeg ik.

Het gaat over de vijf plaatsen die gekust worden.

Ja? zei ik.

Er zijn er eigenlijk meer. Toen ik Magdalena zag, herinnerde ik ze me weer.

Welke dan?

De handpalmen, omdat onze handen ons altijd trouw dienen, en onze voeten, omdat die ons naar onze bestemming dragen. Ze worden in de holte gekust, voegde hij eraan toe. Hij keek met een tedere blik naar mijn dochter die op haar zwarte paard dreunend naar ons toe reed en opzettelijk in slow motion dichterbij kwam, besefte ik, opdat hij en zij langer van het moment zouden kunnen genieten. Het duurde zo lang dat ik besloot een grapje te maken.

Komt ze hier ooit nog? vroeg ik.

Manuelito lachte.

Niet voordat u gereed bent, zei hij ernstig.

Ik ben gereed, zei ik.

Nee, zei hij. Ik heb ook vergeten nog iets anders uit te leggen en dat heeft met het licht te maken.

Het licht? vroeg ik, terwijl ik om me heen keek en besefte dat er veel licht was.

Ja, zei hij. Weet u nog dat we alle plaatsen kussen die het licht binnenlaten? En weet u nog dat u het niet begreep van de maan?

Maanlicht, zei ik. Ik snap het.

Nee, señor, zo is het niet helemaal.

Ik heb het niet gesnopen? zei ik schertsend.

Nee. En het is nogal een lang verhaal, nu ik erover nadenk.

Mijn dochter lijkt hier erg graag te willen zijn.

Ze wil graag hier zijn en bij mij zijn en bij u zijn. Maar ze komt niet voordat we gereed zijn. Toe, zei hij, help me, zodat ik mijn taak kan volbrengen.

Goed, zei ik.

Ten eerste, zei hij, moet u weten dat mijn moeder en vader Magdalena al verwelkomd hebben, dus eigenlijk komt ze thuis. Ze is overal met veel tederheid gekust; haar borsten zijn gezegend. Dit zal bij volle maan hebben plaatsgevonden en mijn vader zal zijn plicht vervuld hebben na het kussen en de zegening. Maar het zou de plicht van mijn moeder zijn geweest Magdalena het verhaal te vertellen over de vrouw en de maan. Dat de vrouw ermee verbonden is en het ritme ervan volgt. Dat de stonden van een vrouw, haar maandstonden, samen- hangen met de maan. Daardoor weten vrouwen diep vanbinnen dat ze deel van alles uitmaken, zelfs van iets zo ver weg als de maan.

Maar hoe kunnen mannen dit weten? vroeg Manueli- to, terwijl hij me peinzend aankeek.

Nu was het mijn beurt mijn schouders op te halen.

De Mundo's hebben lang over deze vraag nagedacht, zei hij. En ze hebben de hemel afgespeurd om een aan- wijzing te vinden dat zij, de mannen onder hen, ook met alles verbonden waren. U weet hoe vervelend we het vinden om overgeslagen te worden! Hij lachte.

Waarom lach je? vroeg ik.

Omdat het de hele tijd vlak voor onze neus was!

Wat? vroeg ik.

De maan! zei hij. Diezelfde maan. Eindelijk, na ik weet niet hoeveel duizenden jaren, snapten ze het. En dit, zei Manuelito, is wat ze eindelijk begrepen: een vrouw, die in de natuur leeft, is vol als de maan vol is, niet waar? En als veel vrouwen samenleven, dan zijn zij en de maan tegelijkertijd vol; als de maan haar volle gestalte verliest en begint af te nemen, verliezen zij hun bloed. Dit verband is sterk, *no*? Nu kan een man in deze tijd misschien niet met een vrouw vrijen. Ze is een beetje prikkelbaar, voelt zich een beetje vies, hoewel ze dat niet erg vindt omdat zij en de maan een belangrijk moment delen, zoals dat heet. Maar er is in ieder geval een periode waarin een vrouw gewoon niet lastig gevallen wil worden! Ik weet nog dat mijn moeder op zulke ogenblikken vaak dingen naar mijn vader gooide.

Ach, Manuelito, zei ik met spijt, wat voel ik me een dwaas dat ik ze nooit echt heb leren kennen.

Señora Robinson kende hen, zei hij. Mijn moeder en zij leken in veel opzichten op elkaar. Hoe dan ook, zei hij, er volgt een periode van herstel na het 'belangrijke moment' dat vrouwen met de maan gehad hebben, waarin mannen niet zeker weten hoe ze ontvangen zullen worden; dan volgt er een periode waarin seksueel contact vermeden moet worden tenzij de mensen kinderen willen, en iedere Mundo weet dat we niet erg veel kinderen kunnen onderhouden. We vinden het heerlijk om te vrijen, dus we zijn een beetje somber in deze periode. Manuelito beeldde deze stemming uit, met zijn mondhoeken omlaag gekeerd. Daarna, zei hij, komt donkere maan, wanneer er óók niet veel gebeurt! Maar dán, zei hij oplevend, net als de mannen de hoop hebben opgegeven, verschijnt de maan weer. En in onze ogen verschijnt ze als een glimlach! Heel aarzelend eerst, maar al gauw is het een brede grijns! Want nu ontvangen de vrouwen ons met open armen. Het is een goede tijd om te vrijen!

Manuelito lachte vrolijk. Dan zijn we zo opgelucht, señor! En dat is de betrekking die de man met de maan heeft. De maansikkel, die soms op een schaal of een boot lijkt, is de maan die haar licht laat schijnen op het heerlijke gevrij dat zal plaatsvinden! De maan, die voorgoed een vrouw is, wordt dan ook een poosje een man! (Daarom was het niet zo'n vreemd concept voor ons toen u het had over het mannetje in de maan.)

Als je verliefd bent en op weg bent naar je geliefde om te gaan vrijen, zie je de maan als een vader die blij op je neerkijkt. Want Mundo-vaders zíjn blij dat hun kinderen, de meisjes zowel als de jongens, genieten van wat in jullie cultuur seks heet. En daarom zingt een jong meisje, als ze naar haar geliefde gaat, en zingt een jonge jongen: *bij het licht van de glimlach van mijn vader!* En daarom trouwt niemand onder de Mundo's bij volle maan, maar alleen als ze is afgenomen en opnieuw aan de hemel verschijnt, als een glimlach in een donker gezicht!

Eindelijk snapte ik het. Hierover had mijn arme dochter zo vele jaren geleden gezongen! *Por la luz...por la luz...* Ik kon nog altijd haar vertwijfelde roep horen. Haar zingen had iets smekends gehad dat ik had genegeerd. Ze had me gesmeekt het licht dat ze gevonden had te zien, te aanschouwen. Ze had me gesmeekt lief te hebben en te zegenen wat zij liefhad. Maar ik had geweigerd. Ik had haar bij een cultuur en een volk gebracht waarvoor ik respect beweerde te hebben. Ze was van hen gaan houden en had zich verraden gevoeld toen ik zelf pas op de plaats maakte. Toen ik, in haar ogen, terug was gekrabbeld.

Ze had over de berghellingen gevlogen op de rug van de glanzende zwarte hengst die we voor ons zagen, geborgen te midden van dit 'vreemde' volk, met lichaam en ziel hunkerend naar de bescherming en hartstocht van Manuelito's armen, erop vertrouwend dat de maan haar begeleidde en dus ook haar eigen vader misschien. Maar ze was helaas de dochter van een dwaas. Ik had haar in de steek gelaten en zonder enige reden haar leven verwoest.

Manuelito, zei ik, ik wou dat ik dood was.

Aha, nu bent u gereed, señor, zei hij.

———

In een oogwenk stond de zwarte hengst, Vado, steigerend voor ons. Een triomfantelijke Magdalena sprong van zijn rug en belandde tussen ons in, haar wilde haardos een halo, haar gezicht stralend van vreugde.

Vaders

Mijn naam is vader, zei ik tegen haar, toen ik haar tenslotte in de ogen zag. Ik ben de vader die waakt over jou, mijn dochter van wie ik houd. Toen ze dit hoorde leek ze deemoedig te zwijgen voor een ziel die zo uitbundig was. Haar dankbaarheid zo intens, dat mijn hart zou hebben gebloed, als ik het tijdens mijn leven had gevoeld.

Toen het ogenblik was aangebroken en ik voor haar neerknielde, kuste ik niet alleen haar handpalmen en de holten van haar voeten, die schenen te gonzen van energie, maar ook haar knieën. Want tenslotte moeten we soms eerst op onze knieën gedwongen worden voordat we ons eigen licht kunnen waarnemen, herkennen of verwelkomen.

Epiloog

Het was echt iets voor Susannah om thuis, in bed, in haar slaap en terwijl ze droomde, van ouderdom te sterven!

Waar droomde je over? vroeg ik haar, toen we haar verzameling vrienden gadesloegen die, soms met een bord eten in de hand, haar huis en haar kamer binnenkwamen.

O, zei ze glimlachend, ik droomde over Anand, en de manier waarop we elkaar ontmoet hebben.

Anand?

Ja, zei ze. Hij is die man, met die prachtige witte snor, die in de hoek zit te huilen. Hij is ook de broer van de man met wie ik getrouwd was. Je herinnert je Petros toch nog wel?

Neem maar van me aan dat die herinnering vaag is geworden, zei ik.

Ze lachte.

Ik heb Anand ontmoet op de dag dat we het lichaam van Irenes moeder opgroeven en het opnieuw begroeven op een heuvel die uitzag over zee.

Verdomme, dacht ik, ze zal altijd dezelfde Susannah blijven, wat haar ook overkomt! Wonend in een wereld vol vreemde figuren, binnen en buiten haar boeken. Ze had een leven geleid waarvan ik tot mijn spijt, en door mijn eigen verlangen om haar leed te berokkenen, wei-

261

nig af wist, ook al dachten de Mundo's dat de doden alles wisten. Nieuwsgierig geworden, spoorde ik haar aan verder te gaan.

Ach, het is een lang verhaal, zei ze, maar we hebben de tijd. Ik zal het je vertellen. Toen ze bij het opgraven van de kist was aangekomen, waarin Irenes naamloze moeder begraven lag, was ik bijna in tranen.

Het was net zo'n kist als ik aan het voeteneind van mijn bed heb staan, zei ze, terwijl ze me met een gebaar uitnodigde te kijken. Petros heeft hem voor een dollar en twintig kussen aan me verkocht. Hij schaamde zich voor die kist omdat hij zo primitief was. Maar hij was alleen maar primitief omdat Petros de waarde ervan niet begreep.

En wat was de waarde dan? vroeg ik en ik tuurde kritischer naar de grote cederhouten koffer, waarin over het hele oppervlak bloemen en bergen en rivieren waren gekerfd. Terwijl ik keek zonk een heel oude vrouw, die er nog ouder uitzag dan mijn zus, en met sneeuwwitte dreadlocks tot op haar knieën, huilend op de kist neer.

Ah, zei Susannah, Pauline. Kan ik niets doen om haar te troosten?

De enige manier waarop je iemand kunt troosten die tijdens je leven van je heeft gehouden is een goede herinnering te zijn, zei ik.

Je meent het, zei ze peinzend.

Het is een grote kist, zei ik en ik stelde me Petros voor die de zware kist helemaal vanuit Griekenland meesjouwde.

Ja, zei Susannah. En terecht. Vroeger bevatte die koffer of kist alles wat een jonge vrouw met zich meenam als ze het ouderlijk huis verliet en ging trouwen. Hij bevatte linnengoed en tafelzilver, haar kleren, haar kleine spinklos, zelfs haar potten en pannen. Door er twee gebogen plankjes onder te bevestigen, die als ze niet gebruikt werden keurig in de kist pasten, werd hij een wieg. Tijdens haar huwelijk, en als de kleintjes groot waren, bewaarde ze er alles in waaraan ze waarde hechtte. Als ze stierf, werd ze erin begraven.

En dus, zei ik, was Irenes moeder begraven in haar draagbare doodskist!

Of in haar wieg, zei Susannah.

———

Op het lage, eenvoudige houten bed lag Susannah met een lange rode nachtpon aan, die prachtig geborduurd was. Haar dunne witte haar was in een tiental strengetjes gevlochten die op haar borst lagen en waaromheen rode linten gewonden waren. In haar ene hand hield ze een veer, in haar andere een groene gombal. Enkele van haar vrienden, die er uitgeput uitzagen alsof ze de hele nacht bij haar gezeten hadden, begonnen langzaam in beweging te komen. Anand stond op van zijn wake in de hoek en liep naar het bed.

Eerst dacht ik het Petros was, zei Susannah, die liefdevol naar hem keek. Ze lijken zo veel op elkaar. Ik geloof dat ik dat de hele tijd dacht, toen ik hem en de andere mannen gadesloeg die het lichaam van Irenes moeder opgroeven. Maar toen we de ceremonie hielden waarbij ze opnieuw begraven werd en hij met de andere vrouwen ging dansen, besefte ik dat het Petros niet kon zijn. Hij danste en huilde net als wij!

Hij huilt veel, zei ik.

Hij is zo zwaarmoedig! zei ze. Dat is waar. Toen we elkaar leerden kenden en een verhouding kregen en daarna gewoon goede, oude vertrouwde vrienden werden, luisterde ik vaak naar zijn verhalen over zijn werk onder de armen en onder vrouwen en kinderen die mishandeld waren en over zijn werk in de vluchtelingenkampen – blijkbaar zijn er altijd vluchtelingenkampen in Griekenland – en dan dacht ik dat Petros, vergeleken bij Anands diepe begaandheid met andere mensen, de morele last die hij op zich nam, wat inhield dat hij Griekenland nooit zou kunnen verlaten, 'Anand Light' leek.

Ze lachte. De een te licht en de ander te zwaar van gemoed, zei ze.

En Pauline precies goed?

Na verloop van tijd, ja, zei ze. Ze hoefde alleen maar haar eigen compleetheid te erkennen en opnieuw te leren wat tederheid is.

Ze moet van die kist af gaan, zei ik, zodat ze jou erin kunnen stoppen.

Mijn huis is mijn kist, zei ze. Maar ik houd wel veel van die kist die Petros me heeft verkocht. Zijn moeder heeft hem aan Petros gegeven, ook al was hij een jongen, omdat ze al haar dochters had verloren toen ze nog baby'tjes waren. Hij heeft hem meegesleept naar Amerika, maar wilde er graag vanaf. Ik voelde instinctief dat er een geschiedenis aan vast zat die ik op een dag te horen zou krijgen.

Susannah leek helemaal niet verbaasd dat we dit gesprek in dezelfde kamer voerden als waarin ze lag opgebaard.

Nee, zei ze, toen ze mijn gedachten las, niets verbaast me meer. Wat kan je nog verbazen als je eenmaal een sinaasappel hebt geroken of echt een boom hebt gezien?

Arme Irene, zei ik, terwijl ik aan haar kleine vriendin dacht.

Ze wilde het gezicht van haar moeder zien, zei Susannah. Het leek me waarschijnlijk geen goed idee. Anand vond het geen goed idee. Maar ze stond erop. Dat betekende dat we de kist moesten openen.

Ze zuchtte.

En? vroeg ik.

Ze hadden de handen en voeten van haar moeder vastgebonden. Ze was helemaal in het zwart. Ze hadden een zwarte sluier over haar hoofd gelegd.

Black is beautiful, zei ik sarcastisch.

Als het waar is, ja, zei Susannah. Dat was de enige schoonheid ervan in deze situatie.

En Irene?

Ze is binnen een maand gestorven.

Ach nee, zei ik.

Susannah haalde haar schouders op. Ze was oud en zwak. Ze slaakte een diepe zucht. Ze was zo klein, zo alleen, zo vurig, zo lief, zei ze. En haar familie heeft gedaan wat ze konden om haar te kwetsen. Het is niet te geloven.

Het is een vrouwenleven, zei ik.

Terwijl we toekeken, begonnen Susannah's vrienden haar bed, en haar lichaam, met boomtakken te bedekken. Ik keek de kleine kamer rond waarin ze lag.

Ik dacht dat je een imposanter huis zou hebben, zei ik.

Mijn imposante huis is verpletterd door een nog imposantere boom, antwoordde ze. Ik heb geleerd te leven, en tevreden te zijn, met de les die dat verlies me geleerd heeft.

Ben je niet nieuwsgierig naar de reden waarom ik hier ben? vroeg ik. Of naar onze ouders of Manuelito?

Terwijl ze dit overwoog, dacht ik aan hen allemaal.

Hoe ik mijn schrandere moeder geleerd had de rivier over te steken. Hoe ik me voelde toen mijn vader me zegende. Na de zegen was hij gewoon in het niets opgelost. Ik bleef alleen met Manuelito achter. We kusten elkaar. We kusten elkaar nog toen ik opeens in de kamer van Susannah stond en haar zag sterven. Zo te zien en vooral toen ik Susannah's witte haar en heel oude lichaam zag, waren er tientallen jaren voorbijgegaan. Dit betekende, dit moest wel betekenen, dat Manuelito ook weg was.

Vergeet niet, Magdalena, had Manuelito tegen me gezegd, dat de eeuwigheid weliswaar voorgoed is, maar tegelijkertijd alleen zo lang duurt als nodig is.

Onze eeuwigheid samen was lang en gelukkig geweest. Nu was ze voorbij. Net als iedere andere liefdesverhouding. Die gedachte maakte me aan het lachen.

Wat is er zo grappig? vroeg Susannah.

Wat is er niet grappig! antwoordde ik.

———

Toen ik aandachtiger naar de inhoud van mijn zusjes kamer keek, zag ik dat er stapels papieren en boeken lagen. Aantekenboeken in alle kleuren en maten. Exemplaren van haar gepubliceerde boeken, video's, opnamen van haar lezingen. Haar vrienden goten langzaam en systematisch olie over alles.

Als het brandt, zei Susannah, zal het naar wierook

ruiken. Ze scheen opgetogen, als een kind dat zich verheugt op worstjes roosteren.

Je bedoelt toch niet wat ik denk dat je bedoelt, zei ik, terwijl we toekeken hoe alle mensen, zelfs de kleine kinderen, meer droge twijgjes, takken van dennenbomen, dorre bladeren en stro binnenbrachten.

Maar Susannah, zei ik, dit is je nalatenschap!

Magdalena, zei ze, jij bent hier omdat het je spijt dat je me heel lang geleden opzettelijk op een dwaalspoor hebt gebracht. Dat is de enige nalatenschap die ik nodig heb.

Maar de mensen zullen zich je niet meer herinneren, zei ik, een beetje wanhopig voor een geest.

Het is het verlangen om in de herinnering te blijven voortleven die de meeste narigheid in de wereld heeft veroorzaakt, zei ze. De meeste veroveringen. Vernietiging van wat natuurlijk is. Oorlog.

Nou ja, je boeken staan in de bibliotheek, zei ik, dus het is een symbolisch gebaar.

Ja, zei ze, jammer genoeg wel.

Alleen haar gezicht en handen waren nu nog zichtbaar onder alles wat boven op haar was gestapeld. Haar vrienden kwamen langzaam en voor het laatst naderbij om haar aan te raken en afscheid te nemen. Tenslotte waren alleen Anand en Pauline nog over. Terwijl ze een blik op Anand wierp, ging Pauline de kamer uit. Toen hij, met zijn krakende oude botten, naast Susannah neerknielde keek ik uit eerbied een andere kant op. Even later kwam Pauline terug en ging Anand de kamer uit. Opnieuw wendde ik mijn ogen af. Toen ik weer keek, zag ik dat het lichaam van Susannah alleen in de kamer lag en dat Pauline al haar lange, witte, gevlochten haar had afgeknipt en het uitgespreid over de berg stro, dennentakken en bladeren had achtergelaten.

De vlammen van het brandende huis waren helder en deden me aan een gedicht denken:

> Als het leven neerdaalt in de groeve
> moet ik mijn eigen kaars worden
> mezelf gewillig verbranden
> en licht brengen in de duisternis rondom mij.

Dankbetuiging

Ik dank de geest van Eros voor zijn aanwezigheid in mijn leven en de lessen die hij mij heeft geleerd. Ik dank de gemeenschap van spirituele helpers die bijeen zijn gekomen om me tijdens het schrijven van dit boek te helpen. Onder hen dank ik Barbara G. Walker voor haar bijzonder belangrijke eruditie, en met name voor haar diepzinnige en onmisbare boek *The Woman's Encyclopedia of Myths and Secrets*. Ik dank Isabel Fonseca voor haar openhartige, inzichtelijke en heldhaftige boek *Bury Me Standing: The Gypsies and Their Journey*. Ik dank Frans de Waal en Frans Lanting omdat ze me in hun boek *Bonobo: The Forgotten Ape* hebben laten kennismaken met verwanten die ik me verbeeld had en waarover ik in een eerdere roman geschreven had, zonder het bewijs te hebben voor hun werkelijke bestaan. Ik dank de mannen en vrouwen die gedurende de oorlog in Viëtnam tot inzicht zijn gekomen – met inbegrip van Ron Kovic en Oliver Stone – en die zijn teruggekeerd om ons te vertellen wat ze daar hebben meegemaakt. Ik dank de bevolking van Mexico die door de eeuwen heen de ene na de andere kleine stroom Indianen en personen van Afrikaans/Indiaanse afkomst heeft opgenomen, die vluchtten voor de rassenmoord en slavernij in de Verenigde Staten. Hieronder bevonden zich sommige van onze beste mensen; het is bijzonder ontroerend om in de ogen van hun afstammelingen, in het Mexico van vandaag, de blik van deze vrijheidslievende voorouders te zien. Ik dank Zel Kuliaikanuu'u Duvauchelle omdat ze me heeft uitgenodigd avonturen met haar te delen die mijn leven hebben veranderd en omdat ze zo veel van haar Hawaïaanse voorouders houdt dat ze geleerd heeft hun liederen te zingen. Ik dank Peter Bratt en Benjamin Bratt voor de inspiratie die ze me gegeven hebben. Ik dank de Grote Geest van het Heelal die me regelmatig naar de rand van de afgrond heeft gevoerd, me heeft laten zien hoe diep ik kon vallen, en me goed heeft vastgehouden. Ho!

Boeken van Alice Walker bij In de Knipscheer

Het derde leven van Grange Copeland
ISBN 90 6265 249 2
«*Een indringend relaas van schuld en boete.*»
(Prisma)

Meridian
ISBN 90 6265 033 3
«*Een sterke vrouw, een sterk boek.*»
(Vrij Nederland)

Verliefd & Verloren
ISBN 90 6265 213 1
«*Walker geeft iedere vrouw haar eigen waardigheid.*»
(NRC Handelsblad)

Een vrouw een vrouw, een woord een woord
ISBN 90 6265 377 4
«Van een overrompelende schoonheid en duidelijkheid.»
(Leidsch Dagblad)

De kleur paars
ISBN 90 6265 162 3
«*Een mijlpaal – een teken van hoop.*»
(Vrij Nederland)

De tuinen van onze moeders, een zoektocht
ISBN 90 6265 720 6
«*Krachtig, waardig en overtuigend.*»
(Times Literary Supplement)

De tempel van mijn gezel
ISBN 90 6265 304 9
«*Ongelooflijk geestrijk, veelzijdig en inspirerend boek.*»
(Utrecht Nieuwsblad)

Turkoois en koraal. Leven onder woorden
90 6265 737 0
«*Een samengebalde visie op het land waarin ik leef.*»
(Alice Walker)

Het geheim van de vreugde
90 6265 370 7
«*Een zeldzame prestatie: een roman die versterkt, niet
verstrikt wordt door zijn politiek missie.*»
(Newsweek)